Urs Bader

Zeitbilder in den Gedichten Walter Mehrings

Willy Haas weist in seinem Nachwort zum Auswahlband »Der Zeitpuls fliegt«[1] an, daß Walter Mehring doch den *echten Dichtern* zuzuschlagen sei. *Wer es glaubt, daß Walter Mehring ein echter Dichter war und ist, wird schweigend das allzu Zeitliche, allzu Zeitgebundene von seinem Werk subtrahieren (. . .)* Eine Rechtfertigung des Buches vielleicht zu einer Zeit, da kein Mensch überhaupt Mehring lesen wollte, sicher aber eine Bemerkung, die Walter Mehring in die falsche Ecke drängt. Weiter im besagten Nachwort: *Walter Mehring ist nicht in der Zeit verankert. Er ist ein Dichter aus dem Ueberzeitlichen, wie Georg Trakl, wie Else Lasker-Schüler, wie der junge Bert Brecht (. . .)* Ein solcher von der Klassik geprägter Dichterbegriff trägt im Zusammenhang mit Mehring nicht; im Gegenteil, Mehring wird damit dort eingeordnet, wo er sicher nicht sein wollte und nicht sein kann – zwischen Klassikern in der Bibliothek guter Bürgerhäuser. Wenn Walter Mehrings Gedichte überzeitlich, zeitlos sind, dann so verstanden, daß sie vielfach an Aktualität nichts eingebüßt haben, daß auch heute die Art und Weise, wie ein Gedanke ins Wort, in die Form gekommen ist, besticht, daß sie als Dokumente betroffen machen.

Mehring war Zeitgenosse so sehr, daß ihm die Zeit schließlich die Sprache verschlug, er unfähig wurde, Gedichte zu schreiben, schreibend auf die kulturelle und politische Aktualität einzugehen. Freilich hat er sich auch allgemeinmenschlicher – schreckliche Vokabel – und ›zeitloser‹ Themen angenommen, wohl zeigt seine Spätlyrik eine vielleicht eigene, originäre Esoterik; aber man braucht wohl kaum den metaphysischen *Dichter aus dem Ueberzeitlichen,* den *echten Dichter* zu bemühen, um dem Poeten Walter Mehring gerecht zu werden.

Mehring war kein Analytiker, der in seinen Gedichten die Wirklichkeit kraft seiner Ratio durchdrang, vielmehr entwarf er mit seinen fast unbegrenzten formalen Möglichkeiten Bilder, die frappierend genau sind und die nicht selten zu eindrücklichen Visionen sich verdichteten. Die Geschichte hat ihm denn auch wieder und wieder recht gegeben. Zeitbilder, die nicht leicht auf eine Formel zu bringen sind: es sind Gedichte verschiedenster psychischer Befindlichkeiten, wechselnder politischer Perspektiven, formal wie inhaltlich belegen sie die unterschiedlichsten Plätze.

*

Sein poetisches Rüstzeug holte Mehring sich im expressionistischen »Sturm-Kreis« Herwarth Waldens. Der Einfluß August Stramms auf Mehrings erste Gedichte – ab 1918 in Waldens Zeitschrift »Der Sturm« publiziert – ist oft schon festgestellt worden. Wichtiger erscheint

1

jedoch, daß Mehring in diesem Kreis mit einer Ästhetik konfrontiert wurde, die neue erkenntnistheoretische Grundlagen suchte, die die traditionelle Sprache und vor allem auch die traditionelle Bildsprache zertrümmerte und so der modernen Literatur und Kunst zu neuen Ausdrucksmöglichkeiten verhalf. Diese Ästhetik bildete auch dann noch die Grundlage für Mehrings Schaffen, als er sich längst von Stramm emanzipiert hatte. Einzelne Grundelemente seines ganzen lyrischen Werkes sind jedoch in diesen ersten Gedichten bereits da: weite Assoziationen, Tempo und Rhythmus, konstituiert durch eine verknappte Sprache, die simultane Wahrnehmung verschiedenster Eindrücke soll im Gedicht Ausdruck finden. Auch Motive sind schon da: das Cabaret, der Zirkus, Abenteurer, Artisten.

*

Mehring wandte sich noch im selben Jahr, in dem seine ersten Gedichte erschienen, einer neuen Bewegung zu – er wurde Mitglied der Berliner Dada-Sektion. Im Rahmen dieser Bewegung, die sich sehr politisch gebärdete – deren politische Bedeutung aber erst einmal ausgelotet werden müßte –, schrieb Mehring sehr bald Gedichte, die an politischer Eindeutigkeit und Schärfe nichts zu wünschen übrig lassen. Offenbar war ihm das, was er im »Sturm« publizierte, angesichts des Zusammenbruchs Deutschlands und der daraus erwachsenden politischen und sozialen Unruhen zu unverbindlich geworden. Gesammelt erschienen diese neuen Gedichte 1920 in Mehrings erstem Versband »Das politische Cabaret«. Mehring polemisiert gegen Repräsentanten der Weimarer Republik, gegen Friedrich Ebert, Philipp Scheidemann und Gustav Noske, gegen die Reichswehr, die Freikorps und deren Jagd auf die »Novemberverbrecher«, gegen die Presse, der er Kommunistenhetze, Opportunismus und Deckung von Fememorden vorwirft, er verhöhnt die Bolschewistenangst des Bürgertums und entlarvt die Rechtssprechung als Klassenjustiz.

Einige dieser Gedichte gleichen formal den expressionistischen Simultan- oder Tempogedichten, sind im Unterschied zu jenen allerdings leichter zugänglich. Karl Riha[2] bezeichnet sie als literarische Collagen, als Montagelyrik, und er vergleicht sie mit den Collagen von Kurt Schwitters, die etwa um die gleiche Zeit entstanden. Nur sind die Bildelemente nicht Kino- und Theaterkarten, Streichholzschachteln und Zigarettenpackungen, sondern politische Parolen, Werbeslogans, Schlagzeilen aus Zeitungen, verfremdete literarische Zitate, Sprachfetzen.

> *Das Volk steht auf! Die Fahnen raus!*
> *– bis früh um fünfe, kleine Maus!*
> *Im UFA-Film:*
> *»Hoch, Kaiser Wil'm!«*
> *Die Reaktion flaggt schon am DOM*
> *Mit Hakenkreuz und Blaukreuzgas –*

Monokel contra Hakennas' –
Auf zum Pogrom
Beim Hippodrom!
Is' alles Scheibe!
Bleibt mir vom Leibe
Mit Wahlgeschrei
und Putsch!
Eins! zwei! drei!
Rrrutsch mir den Puckel lang
        Puckel lang!
Oh, Berolina!
Immer die »Linden« lang!
  Protzige, klotzige
  Nachkriegsverdiener!
Die »Roten« und die »Jrün'n« –
Berlin zieht blank! Berlin zieht blank!
       Berlin zieht blank!

Die Mehrzahl der Gedichte weist allerdings eine feste Gliederung auf: gereimte Strophen mit Refrain und durchgehaltenes Metrum. Diese an sich zahme Ordnung wird freilich aufgeladen durch die Verwendung von Vokabeln aus dem Berliner Dialekt und des besonderen Berliner Jargons; der Reim erhält so einen originellen Dreh, mal ist er schnoddrig, mal ist er gewagt, Rhythmus und Tempo werden aufgehalten oder gesteigert. Zugunsten des sprachlichen Flusses wird oft auch die syntaktische Ordnung durchbrochen, dominiert in den Gedichten ein parataktischer Stil. Der Refrain ist nicht mehr nur eine sich wiederholende spassige Pointe, Mehring setzt ihn ein, um seine polemische, satirische Absicht zu unterstützen. Kleine Veränderungen im letzten Refrain unterlaufen die Erwartungshaltung des Zuhörers. und sollen das ›aha‹ bewirken. Mehrings Couplets sind nicht auf das Strophenende, sondern auf das Ende des Couplets hin orientiert, ähnlich wie ein Drama mit seiner Konzentration auf einen Höhepunkt. Der letzte Refrain setzt die lehrhafte Pointe.

Übt ein Freikorps mit Granaten
Schreibt se: Große Heldentaten!
Kommt der Umsturz, brüllt se mutig:
Hoch das Neue – Nur nich blutig!
Und in Kriegs- und andern Nöten
Hält se treu zu den Moneten.
Liberales Volkssoziales –
In der Presse findste alles.
  Ja die Presse, die Presse ist allen voran –
  Bei jedem Malheur –
  Mal leicht und mal schwer –
  So ein Herr Redakteur
  Ist doch ein sehr gehetzter Mann!

Kurt Tucholsky hat in der »Weltbühne« diese erste Gedichtsammlung von Mehring geradezu gefeiert: *Zunächst ist hier technisch etwas vollkommen Neues. Da sind nicht mehr die langen Sätze, die mit der Kraft des Verstandes hergestellten Gedankengänge, vom Autor auf die vorher gebaute Pointe losgelassen – hier ist der sinnliche Ausdruck in jeder Zeile neu und stark (. . .) So etwas von Rhythmus war überhaupt noch nicht da. (. . .) eine wilde Hatz von Eindrücken in freien Rhythmen, die ungefähr so wirken wie eine Wand von Plakaten, an der man schnell vorüberfährt.*[3]

In verschiedenen älteren Aufsätzen hatte Tucholsky sich beklagt, daß in Deutschland niemand mehr fähig sei, ein gutes Couplet – ein zu Musik vorgetragenes Gedicht – zu schreiben. In »Die Kunst des Couplets«[4] vermerkt er: *Das deutsche Couplet, das keineswegs literaturfähig ist, steht fest auf zwei dicken Säulen: auf dem Stumpfsinn und auf der Zote.* Voraussetzung für ein gutes Couplet seien aber gerade Gesinnung, Geschmack und großes Können. Unter Gesinnung und Geschmack versteht er vor allem den Mut zu eindeutigen, überzeugten und überzeugenden politischen Couplets. Was die Technik betreffe, so habe das Couplet seine eigenen Gesetze. Zunächst müsse es mit der Musik völlig eins sein. Dann müsse es aus dem Geist der Sprache heraus geboren sein; die Worte müßten nur so abrollen, nirgends dürfe die geringste Stockung auftreten, die Zunge dürfe keine Schwierigkeiten haben, die Wortfolge glatt herunterzuhaspeln. Das Schwierigste sei jedoch, den Refrain so zu gestalten, daß er sitze.

Es ist Tucholsky wohl zuzugestehen, daß er kraft seines kritischen Vermögens Mehrings Couplets von der übrigen Zeitproduktion abzuheben vermochte. Zeitproduktion meint vor allem das Couplet, das das Publikum mit zotigen Sprüchen, flauen politischen Witzen, verulkten Sprichwörtern und glatten mundartlichen Redewendungen – eben geschmack- und gesinnungslos – amüsierte. Mehring unterschied sich aber auch von gewichtigen schreibenden Zeitgenossen, zumindest was die ›Mache‹ betrifft. Zu nennen sind beispielsweise Erich Kästner, Klabund, Kurt Tucholsky, Joachim Ringelnatz. In seinen formalen Fähigkeiten war Mehring allen überlegen, sein Ton war bei allem Spott, der diesen gemeinsam ist, härter und unversöhnlicher. Seine Montagegedichte mit ihrem dynamischen Rhythmus waren originär, seine Couplets, Songs, Chansons – wie immer man sie auch bezeichnen will – inspirierten neben Brecht zahlreiche weniger bekannte Zeitgenossen und Nachfahren bis hin in die Gegenwart. Dabei ist die Rezeption vertonter Dichtung deshalb problematisch, weil über zwei wesentliche konstituierende Elemente – Sprechhaltung und Musik – bei der Vorlage nur der Texte nichts ausgesagt werden kann. Gerade Mehrings Songs, Chansons und Couplets vermögen aber auch ohne Musik durchaus zu bestehen, die unregelmäßigen Rhythmen kommen auch gesprochen zum Tragen. Das gilt insbesondere auch für die später entstehenden Gedichte, die Mehring als *Sprachen-Ragtime* bezeichnete.

Sie kommen
von weither übers Meer
The Jazzband – the Jazzband
und blasen wie das Wilde Heer
und rasen wie ein Wildenheer
von New Orleans bis Westend.
Es hüpfen wie das kangoroo
der Frackmensch und der Nackte –
– Der Buffalo – das Steppengnu
stampeden nach dem Takte:
I want to be
I want to be
I want to be down home in Dixie
and cowboys rings
bei scharfen drinks!
Gieß ein, sweetheart, und mix sie!
Und hopst du, wo die Farbigen springen
und grüne Dollars reifen,
dann hörst du die Skylight-Angels singen
– was die Spatzen vom Dache pfeifen –.

*

Schon 1921 erschien ein weiterer Versband, »Das Ketzerbrevier«. Mehring war unterdessen zum bekannten Autor verschiedener Berliner Cabarets, so dem »Schall und Rauch« Max Reinhardts, der »Wilden Bühne« von Trude Hesterberg und dem »Größenwahn« Rosa Valettis, geworden. Das »Ketzerbrevier« ist im wesentlichen eine Sammlung dieser Cabaretlieder und zeigt noch eindrücklicher die formalen Fähigkeiten Mehrings. Neben den von ihm entwickelten Tempogedichten stehen Songs aus dem Zuhälter- und Gangster-Milieu, Vagantenlieder in der Tradition von François Villon neben Legenden und Balladen. Bemerkenswert in diesem Band sind die Gedichte, die er als *Sprachen-Ragtime* bezeichnete, und in denen er erstmals rhythmische Elemente des Jazz verarbeitete, sowie die *Litaneien*, die formalen Bezug nehmen auf die Liturgie der heiligen Messe. In diesen Gedichten attackiert Mehring Staat und Kirche, die bei der Unterdrückung und Entmündigung der Menschen immer wieder effizient zusammengearbeitet haben. Gegen die christliche Demut setzt er das Selbstbewußtsein des Individuums, gegen das Paradies das irdische Glück, gegen kirchliche und staatliche Bevormundung die Selbstbestimmung. Diese Gedichte sind umso bemerkenswerter, als Mehring in dieser Sammlung den aggressiven politischen Akzent etwas zurückgenommen hat, vielleicht auch der Not gehorchend, Konzessionen an den Publikumsgeschmack gemacht hat.

In der Conférence zur Eröffnung des »Schall und Rauch« beschrieb und entwarf Mehring sein literarisches Programm dieser Jahre.

> *Antikem Brauchtum gemäß folge*
> *nunmehr dem heroischen Kladdera-*
> *datsch einer miserablen Geschichts-*
> *tragödie das schadenfröhliche*
> *Satyrspiel – dem Größenwahnwitz*
> *der Schmieren-Cäsaren der Spott,*
> *den ihnen das Vaterland schuldet!*
> *Dem Versegerassel der »Festedrauf«-,*
> *der »Gottstrafeengland«-Barden die*
> *Moritat und der Gassenhauer!*
> *An Motiven – an »mauvais sujets«*
> *mangelt es nicht, an: Ausschweifungen*
> *in allen Preislagen jeder*
> *Geschmacklosigkeit – Hochstapeleien*
> *in Sach- und Ewigkeitswerten – Pöbel-und-*
> *Hurrah-Sozialismus; Raub- und Fememord;*
> *Landsknechttum im Solde jeder Demagogie;*
> *der ganze Troß der apokalyptischen Phrasen-*
> *reiterei sind so an der Tagesordnung wie*
> *im finstersten Mittelalter!*

Mehring qualifizierte die aktuelle deutsche Lyrik als *Versegerassel* ab und verwies auf andere Traditionen, auf das griechische Satyrspiel, auf die Moritat, über den ›Gassenhauer‹ auf den Bänkelsang, auf die Balladen und Chansons von François Villon, schließlich über Toulouse-Lautrec auf das frühe französische Chanson. Tatsächlich lagen alle diese Traditionen im Deutschland der 20er Jahre in der Luft:

Frank Wedekind hatte auf Grundlage vor- und außerklassischer Vorbilder die balladeske Lyrik erneuert[5], 1907 war Karl L. Ammers deutsche Villon-Übersetzung erschienen, mehr und mehr Intellektuelle und Künstler brachten verpöntes französisches beziehungsweise pariserisches Gedankengut nach Deutschland. In dem Sinn sind die Gedichte des »Ketzerbreviers« durchaus von einer modischen Bewegung getragen, die 1924 ihren Höhepunkt fand und in den folgenden Jahren ins Triviale abflachte.

*

Die 1924 unter dem Titel »Europäische Nächte« erschienene Gedichtsammlung nimmt bereits Bezug auf dieses zur Geschmacklosigkeit verkommene Cabaret. Der Untertitel des Buches »Eine Revue in drei Akten und zwanzig Bildern« spielt auf die in Berlin zu dieser Zeit immer populärer werdenden Revuen an, die ausschließlich aus ›Ausziehnummern‹ bestanden.[6] Im Versband sind zusammengestellt politische Satiren und Polemiken, vergleichbar jenen des »Politischen Cabarets«, Balladen mit Vaganten-, Verbrecher- und Abenteurerthematik, Dialektgedichte von einmaliger Bissigkeit und verschiedene Chansons unterschiedlicher Thematik.

Zweierlei in diesen Gedichten ist grundlegend neu: zum einen hat sich die Methode, wie die Wirklichkeit zur Sprache gebracht wird, geändert; Mehring hat für sich die Möglichkeiten einer verfremdenden Poesie, eines uneigentlichen Redens entdeckt.[7] Er verpackt die Kritik an den politischen und gesellschaftlichen Verhältnissen in Balladen über Landstreicher, nimmt die Geschichte des Rattenfängers von Hameln her, oder erzählt überzeichnende, paradoxe Geschichten. Natürlich wußte er, daß das Landstreichermotiv ein beliebtes Motiv der bürgerlichen Literatur ist und daß durch den Vaganten jeder Unflat gesagt und jede Utopie und Kritik formuliert werden kann, weil der Bürger den Außenseitern diese Freiheit, eine Narrenfreiheit, zugesteht. Der Bürger projiziert all seine Wünsche und Träume, kann sich aber gleichzeitig behaglich zurücklehnen, weil er weiß, daß er in der bürgerlichen Gesellschaft gut aufgehoben ist. Für jene aber, die Parodien lesen können, ist das Landstreichermotiv eine Metapher, die die Kritik an der Kirche und dem Staat nur einkleidet und den bösen Spott und großen Zorn ins Bild setzt.

Den Himmel hoch, Europa untern Füßen,
Wir wandern, keinem Menschen untertan,
Um bald als Freund den ewgen Jud zu grüßen,
Bald den Zigeuner auf dem Wiesenplan,
Uns kann kein Seeman von Sedijk beflunkern,
Uns kann kein Pfaff vom Bayerland bekehrn,
Uns wird kein General mit Ordensklunkern
Den süßen Tod fürs Vaterland beschern!
Was nützt es, daß Ihr ewig hetzt und schreit:
Wir kommen zurecht –
Der Weg ist weit. Wir haben Zeit!

Hallélujah! Wir Kinder der Chausseen,
Wir ziehn fürbaß und nehmen stets fürlieb!
Wir fragen nicht, wohin die Wege gehen,
Und segnen das Geschick, das uns vertrieb.
Ob sich die Völker in den Haaren liegen,
Ob die Philister oder Kaffern siegen:
Wir stehn nicht stramm und schreien nicht Hurra
Hallélujah! Hallélujah!

Hallélujah!

Es ließe sich zeigen, daß Mehrings Außenseitertypen nicht konsequent durchgestaltet sind und ein durchaus ambivalentes Verhältnis zur bürgerlichen Gesellschaft haben. Bürgerliche Verhaltensweisen, Denkmuster und Träume scheinen immer wieder durch, und sei es nur in einem negativen Sinn, indem sie auch in der Gegengesellschaft als Orientierungshilfe gelten.

Man möchte meinen, daß diese Gedichte autobiographischen Charakter haben und Mehrings Verhältnis zur Gesellschaft beschreiben –

ein Verhältnis, das durchaus nicht auf einen Nenner zu bringen ist. Es wird ein Grundmuster seines Verhaltens entworfen, das ihm, vor allem nach dem Zweiten Weltkrieg, nicht zum Besten gereichte und mit ein Grund war für seine Isolation. Dem Wunsch nach Geborgenheit in der bürgerlichen Gesellschaft, nach Erfog auch, standen seit jeher die unerbittlichen Attacken gegen eben jene Gesellschaft entgegen. Wenn er vor 1933 immerhin noch von einem Freundeskreis umgeben war, so sah er sich nach dem Krieg mehr oder weniger isoliert, weil er durch den Krieg die Mehrzahl der Freunde verloren hatte, er selber in seiner Haltung kompromißlos blieb. Seine Klage darüber ist in vielen Briefen nachzulesen. Die Grundproblematik jedes Satirikers, abhängig zu sein von der Gesellschaft, die er bekämpft, nahm für Mehring tragische Formen an. Trotzdem: Freunde und Verleger, die sich um ihn bemühten, stieß er immer wieder mit absurden Unterstellungen vor den Kopf, bis sie sich schließlich von ihm abwandten. So fand er in die Gesellschaft, deren Besserung er ja eigentlich nur wünschte, nicht mehr zurück.

Vom Andern, das sich entscheidend verändert hat, ist noch zu reden, vom ›schöpferischen‹ Selbstbewußtsein Mehrings. An die Stelle des schwungvollen Optimismus, der unbekümmerten Aggressivität, der leichthändigen Produktivität ist Zynismus, wenn nicht Resignation getreten. (Stärkere Vokabeln sind für seine letzten Gedichte aufzubewahren.) Die Gedichte sind nicht mehr getragen von direktem und bissigem Spott oder anarchischer Scharfzüngigkeit, sondern von Bitterkeit. Ein warnender Gestus erstmals, auch der Versuch, den Zeitgenossen auf mittelbaren Wegen zu erreichen. Die Gründe für diese Ernüchterung sind einerseits sicher in der politischen Entwicklung, die das republikanische Deutschland nahm, zu suchen, andererseits in Mehrings Einsicht, daß mit Worten offenbar nichts zu bewirken war. Wenn er auch mit einzelnen Gedichten, die man als Schlager sang, populär wurde, so waren sein eigentliches Publikum doch die Intellektuellen, die das »Schall und Rauch«, die »Wilde Bühne« oder das »Größenwahn« besuchten.[8] Wenn aber Mehrings Resignation in der Wirkungslosigkeit des dichterischen Tuns – konkret: seiner Gedichte – begründet war, so deshalb, weil er die Wirkungsmöglichkeit der Künstler oder Intellektuellen weit überschätzte.

Mehring, dessen Protest stets anarchistischen Charakter hatte, der ›Gegenwelten‹ nur in der Ablehnung bruchstückhaft entwerfen konnte, der immer vom Kaffeehaustisch aus für die Recht- und Machtlosen kämpfte – er mußte es besonders schwer haben, eine geistige Behausung zu finden.

*

Ab 1929 erschienen in relativ kurzen Zeitabständen drei Gedichtsammlungen von Walter Mehring: »Die Gedichte, Lieder und Chansons des Walter Mehring« (1929), »Arche Noah SOS« (1931), »Und Euch zum Trotz« (1934).

Dominierende Themen der Gedichte dieser drei Bände waren der kommende Krieg, der Rassenwahn, das Verhältnis zwischen Individuum und scheinbar naturgesetzlich sich entwickelnder Geschichte und – nach 1933 – das Leben im Exil. Aus den präzisen Zeitbildern der frühen 20er Jahre sind jetzt scharfsichtige Visionen geworden, Spott vermischt sich mit düsteren Prophezeiungen, mit leiser Klage und mit Trauer. Diese Schreckensvisionen sind in ihrer Intensität vergleichbar mit jenen eines Jakob van Hoddis oder Georg Heym vor dem ersten Weltkrieg.

Lied der Hakenkreuzler

Links rechts links rechts
Kennt ihr diese Töne
Links rechts links rechts
Für die Judensöhne
Links rechts links rechts schaufeln wir das Grab
Hütet euch ihr Roten
Zählt euch an den Toten
Euer Schicksal ab!
Denn eine Uniform
Die imponiert enorm
Vor der gibt's keinen Sozialismus mehr –
Laßt das Proletenschwein
Nach Brot und Frieden schrein
Wenn das Signal kommt, rennt die Bande hinterher!

Links rechts links rechts
Laßt die Spießer gaffen
Links rechts links rechts
Unser sind die Waffen
Links rechts links rechts schwarzweißrotes Band
Laßt die Spießer plärren
Wir sind eure Herren
Und das Vaterland
Denn unsere Schlachtmusik
Fegt eure Republik
Mit einem Ruck, mit einem Zuck bis in den Dreck
Das ist euch eingedrillt
Und wer nicht gut gewillt
Wird abgekillt und wir marschieren drüber weg
In den frisch-fromm-fröhlichen nächsten Krieg
Und wir sorgen, daß ihr allesamt dabei seid
Wenn das ganze Volk auf der Strecke liegt
Leuchtet blutig uns das Morgenrot der Freiheit.

Die ›vaterländische‹ Kritik hat Mehring nachgetragen, daß er angesichts des heraufziehenden Infernos nicht heiter geblieben sei. Eine zeitgenössische Rezension bezeichnet die Inhalte seiner Gedichte als *einfarbig-grau und gräßlich* und stellt dagegen Gedichte von Erich Kästner, deren Inhalte *unendlich viel reicher, farbiger, menschlich bewegter* seien.[9] (Eine Kritik, die allerdings nicht Kästner anzulasten ist.) Überhaupt vermögen die Reaktionen der Presse auf Mehrings Gedichte dieser Zeit viel deutlicher als die Gedichte selbst zu belegen, daß die Politik und das politische Klima in Deutschland rüder geworden waren, wenngleich auch die Gedichte kompromißloser geworden sind. Zu den »Gedichten, Liedern und Chansons« schreibt ein Rezensent:

Ein Band schnoddriger Verse voll tobender speichelspritzender Wut auf alles Deutsche, Seelische, Heilige; dabei sprachgewandt und von einer infernalischen Geschicklichkeit, in lauter fremde Häute zu kriechen. Schulbeispiel eines geistigen Schmarotzertyps, der in alles Lebendige hineinschlüpft, es ausfrißt und von innen her zerstört. Ein mit allen Wassern gewaschener Conferencier vom Kurfürstendamm; ein verfaultes Gehirn, das nach allen Gossen dieser Zeit stinkt.[10] Nicht nur lehnten es weite Kreise des Bürgertums und der Intellektuellen aus Geschmacksgründen ab, sich mit den politischen Realitäten, die vom erstarkenden Nationalsozialismus geprägt wurden, auseinanderzusetzen; sie verteufelten auch eine Literatur, die die Zeichen der Zeit zu lesen verstand. Wenn Mehring auch nicht die Absicht hatte, eine stringente politische Analyse zu liefern, so vermochte er doch wie kaum ein anderer Schriftsteller dieser Zeit die Zeichen zu deuten. Seine Gedichte aus den Jahren um 1933 sind immer gleichzeitig Kommentar zur Tagespolitik und Vision einer Katastrophe.

Mehring resignierte, was die verändernden Möglichkeiten des Schriftstellers anbetrifft, in diesen Jahren vollständig. *Ich schreibe und ich werde kein Atom verändern.* Dieses traurige Credo, im Gedichtband »Arche Noah SOS« von 1931, sollte wenige Jahre später zu dem führen, was Christoph Buchwald in einem Aufsatz[11] über Walter Mehring als *Schreiblähmung* bezeichnet hat: die Unfähigkeit, nach all den erlittenen Verletzungen und dem existentiellen Gefühl der Ohnmacht weiterschreiben zu können. Von Theodor W. Adorno stammt der Satz, daß nach Auschwitz keine Gedichte mehr möglich seien; an Walter Mehring hat er sich in tragischer Weise bewahrheitet, wenn auch aus anderen und vielfältigeren Gründen, als sie Adorno im Auge hatte.

1 Willy Haas, in: Walter Mehring, »Der Zeitpuls fliegt«, Hamburg 1958, S. 177–180. — 2 Karl Riha: »Moritat, Song, Bänkelsong. Zur Geschichte der modernen Ballade«, Göttingen 1965, S. 69. — 3 Kurt Tucholsky, in: »Die Weltbühne«, 16. Jg., 25. 11. 1920, Nr. 48, S. 619 ff. (Gesammelte Werke, Bd. 1, hg. von Fritz J. Raddatz und Mary Gerold Tucholsky, Hamburg 1960, S. 766 ff.) — 4 Kurt Tucholsky, in: »Berliner Tageblatt«, 18. 11. 1919, Nr. 549 (a.a.O. S. 518 ff.) — 5 Karl Riha, a.a.O., S. 71 f. — 6 vgl. Christoph Buchwald, in: Walter Mehring: »Chronik der Lustbarkeiten«, hg. und mit einem Nachwort von Christoph Buchwald, Düsseldorf 1981, S. 474 und 478. — 7 Karl Riha, a.a.O., S. 75. — 8 Christoph Buchwald, a.a.O., S. 470. — 9 Julius Bab, in: »Die Hilfe«, 37. Jg., 1931, Nr. 25, S. 602 f. — 10 Jörn Oven, in: »Die schöne Literatur«, hrsg. von Will Vesper, 30. Jg., Juli 1929, Heft 7, S. 311. — 11 Christoph Buchwald, in: »Die Horen«, 27. Jg. Frühjahr 1982, Ausgabe 125, Band 1, S. 18.

Eberhard Adamzig

Der Publizist Walter Mehring in der »Weltbühne«

Als sich Mehring bereits eine Woche im Pariser Exil befand, wurde in Deutschland, am 7. März 1933, die letzte Nummer der ziegelroten Weltbühnehefte mit seinem Beitrag »Fascistische Malerei« (56) * ausgeliefert. Damit ging ein publizistischer Versuch zu Ende, an dem Mehring maßgeblich beteiligt war; seineVeröffentlichungen in der wohl bedeutendsten kulturpolitischen Wochenzeitschrift der Weimarer Republik datieren vom 26. August 1920 bis zum 21. Februar 1924 und, unterbrochen durch die vierjährige Mitarbeit an Leopold Schwarzschilds »Tagebuch« in Paris, vom 1. Januar 1929 bis zum 7. März 1933.

Es ist anzunehmen, daß Mehrings Kontakt zu Siegfried Jakobsohn, der das Blatt bis zu seinem Tode 1926 herausgab, über Kurt Tucholsky lief; dessen Begeisterung über »Das politische Cabaret«, einem kleinen Gedichtband mit Couplets, endete mit dem Ausruf: *Wenn die neue Zeit einen neuen Dichter hervorgebracht hat: hier ist er.*[1]

Doch nicht um den Lyriker Mehring geht es im folgenden, sondern um den Theaterkritiker, Buchrezensenten, Prosaisten und politischen Berichterstatter.

Alles typische Anzeichen von paranoia! (11/349)
Anmerkungen zu Mehrings politischer Position

Als der fünfundzwanzigjährige Mehring eine seiner ersten Reisen nach Paris unternahm, notierte er: *Warum verläßt man Deutschland wie eine Kaserne? Wirklich nicht allein, weil man ständig drin lebt! Seit Kriegsausbruch steht hier das Denken stramm und wartet untergeben auf das Kommando: Rührt euch! Und das erste Gebot des Preußentums heißt immer noch: Tötet eure Feinde wie euch selbst, wenn nur der Kadavergehorsam gerettet ist* (7/307).

Dieses Grunderlebnis[2] der drei K.'s – Kaserne, Kriegserfahrung, Kadavergehorsam – erregte bei Mehring schon früh ein abgrundtiefes Mißtrauen gegenüber jeglicher Form von institutionalisierter Politik; ob gegen Staaten, für die die Menschen, so Mehring, *sauber nach Nationalmerkmalen* (7/306) geordnet sind, oder gegen Regierungen, die *alle ihr Abbild in separaten Lachkabinetts* (9/226) finden. Und so erklärte er 1923, er sehe sich nicht imstande, *fernerhin noch irgendeinem dieser Vereine, welcher es auch sei, anzugehören* (11/350).

---

* Die in Klammern gesetzten Zahlen beziehen sich auf die Übersichtstabelle der publizistischen Beiträge Mehrings in der »Weltbühne«, siehe S. 18/19. Die nach dem Schrägstrich / angegebenen Ziffern geben die Seitenzahl an.

Konsequent führte diese dadaistisch-nihilistische Radikalität des jungen Mehring nach der Rückkehr aus dem USA-Exil zu dem Grundgefühl des *Staatenlos im Nirgendwo*[3] Mehrings Fluch gegen die *Politiquaillerie* (32/289) – ein Begriff, den er von Zola übernahm – richtete sich im Einzelnen genauso gegen die *Firma Adolf Hitler* (23/508), Vorbild für die *chemisch aufgenordeten Monopol-Deutschen mit eingebrannter Schutzmarke* (21/385) wie gegen den *damaligen Herrn Ersten Vorsitzenden des Vereins d . . D . . . . R . . . . . zu Berlin* (11/349), Kaiser Wilhelm II.: *So wie wir uns geeinigt haben: ein Brett mit vier Beinen drunter ist ein Tisch, so definieren wir: ein Haupt mit einer Krone drauf kennt die Grenzen der Kunst, des Vaterlandes und des Verstandes* (19/162).

Diese Anspielungen Mehrings auf das Kaiserzitat: *Eine Kunst, die sich über die von Mir bezeichneten Gesetze und Schranken hinwegsetzt, ist keine Kunst mehr*[4], sein Verweis auf den Massenmord des Ersten Weltkriegs allein zu dem Zweck, *die Landesgrenzen um einige Kilometer zu verrücken* (48/330) und auf die *Krankheit* Wilhelms II., von Mehring als *progressiver Größenwahn bis zum maniakalischen Ich-über-Deutschland-über-AllesinderWelt* (11/350) diagnostiziert, sind Teil einer bei ihm häufig anzutreffenden grundsätzlichen Abneigung gegen ideologische und diktatorische ›Grenzziehungen‹: Vorurteil, Doktrin, Zensur. Attackiert er das antibolschewistische Ressentiment der französischen Presse (18. u. 43) ebenso rückhaltlos wie die Buchstabengläubigkeit im *Allerheiligsten des Marxismus* (47/234), so scheint diese ideologische Nivellierung die Parteilichkeit des Denkens auszuschließen; dies gilt auch dann, wenn er sich nicht scheut, Kommunismus und Nationalsozialismus gleichzusetzen: *Wenn mir ein Buch von Flaubert Freude macht – Herr Gott, laßt mich doch! Die Geschmäcker sind verschieden! –, so verstoße ich damit a) gegen die kommunistische Parteidoktrin, weil nichts darin von ihr vorkommt, und b) gegen das Deutschtum, weil der Verfasser in Rouen geboren ist* (32/290). Auf der anderen Seite kritisiert er die Zensur des Granowski-Films »Lied vom Leben« (33), fordert aber: *Zensur gegen gedankenlose Hetzer: ja! und mit allen Mitteln!* (47/236).

Trotzdem überwiegt bei Mehring die Position des unbestechlichen, von keiner Ideologie angreifbaren (Links)-Intellektuellen, der vor allem *um den einzig wertvollen Eigenbesitz: die Freiheit, selbst zu denken und das Gedachte zu äußern* (47/235) kämpfen müsse. Bei Mehring wird das gleichbedeutend mit dem *Kulturkampf der Geistigen gegen jeden Ungeist: Pfaffentum, Militarismus, Antisemitismus, Korruption* (21/387).

Vorbilder hierfür fand Mehring, über seinen Vater[5], einen Dreyfusard des 19. Jahrhunderts, der sich *zur Souveränität des Intellekts, zur* ›*priorité des lettres*‹ *nach dem stolzen Worte des Führers Zola* (21/387) bekannte, in der aufgeklärten Tradition eines Heine, Börne, Schubart, Lichtenberg, Freiligrath (40) und in dem Typus des katalanischen Freiheitshelden Francesco Ferrer (35/907); mit Abstrichen auch in den

Sozialisten: *Intellektuelle und Sozialisten sind heute eins; aber – das sei mein Ketzerwort – die Geistigen sollen, bei eindeutiger Bejahung der revolutionären Quintessenz im Klassenkampfe, ihre Unabhängigkeit, ihre Pflicht zur Unbestechlichkeit, ihr Recht auf Kritik bewahren* (21/ 387).

Dieses Bekenntnis zum kritischen Sozialismus verweist mit einer für Mehring ungewohnten Deutlichkeit auf politische Prinzipien, die ihn davon abhielten, mit der kommunistischen Partei auch nur zu sympathisieren, wie es etwa sein Freund George Grosz tat oder Erwin Piscator, der zeitweise im Auftrag der KPD arbeitete. Wenn Mehring 1926 die öffentliche Erklärung zur Konstitution der »Gruppe 1925« mit unterzeichnete[6], sich 1928 dem PEN-Klub anschloß[7] und 1930 Gründungsmitglied der »Gruppe revolutionärer Pazifisten«[8] wurde, so rührte das nicht an seinem stark individualistisch geprägten Mißtrauen gegenüber jeder Form von politischer Organisation. Auch wenn er sich die Kapitalismuskritik der Kommunisten zu eigen machte und die *Epidemie, von der die Erde befallen ist,* in der *Krise des Kapitals* (31/171) sah, auch wenn er der Idee, *wie wohl der Mensch des klassenlosen Staates aussehen möge* (47/234), durchaus offen gegenüber stand und hoffte, daß die Parole *Stalin oder Moskau denkt für mich* (47/ 235) aufgegeben würde, so stand er der auch in der »Weltbühne« breit diskutierten Entwicklung in der Sowjetunion abwartend-skeptisch gegenüber. Mehring verteidigte zwar des öfteren die Sowjetunion gegen Angriffe von rechts, etwa gegen die Behauptung des Konteradmirals Ernst Batsch, Arbeitslosigkeit und Chaos seien die *Folgen des Bolschewismus* (49/423 f.); aber immer aus der Empörung des *J'accuse* (21/385), der die epigonale Verwaltung des *Genies Marx* – mit dessen Worten sich durchaus *trefflich* streiten ließe (29/287) – zuwiderlief.

Mehring konnte allenfalls in der *Überwindung des marxistischen Dogmas* (47/235 f.) und in der radikalen Staatskritik eines spanischen Syndikalismus, der sich auf Bakunin, Kropotkin, Mella berief, eine politische Utopie entdecken; das Ziel der Syndikalisten, unter Ablehnung aller Gewalt durch *naturgemäßen Ausbau der Syndikate die heutige Staatsform zu ersetzen* (35/908), kam Mehrings pazifistischer und staatsablehnender Haltung am weitesten entgegen.

Weihnachten und das Dritte Reich stehen vor der Tür. (24/543)
Satire als existentielle Haltung

Mehring vermerkte bereits 1923, daß Deutschland, das Land mit der *allgemeinen Schulwehrpflicht* (14/36), es nach Kriegsende versäumt habe, sich der notwendigen *Radikalkur* (11/350) zu unterziehen. Und, aus Frankreich zurückgekehrt, fuhr er fort: die Weimarer Republik sei nichts anderes als eine *verstrohwitwete Monarchie* (21/386), die nicht nur Kinofilme zulasse, welche den *Kriegsgeist verherrlichen und so die Jugend zum nächsten Massenmord vorbereiten* (33/461), nicht nur den offenen Antisemitismus toleriere (vgl. 31), sondern auch den National-

Eberhard Adamzig

sozialismus, *wie der Fremdausdruck für die deutscheste Bewegung lautet* (32/288), mehr oder minder interessiert zuschaue.

Gezwungen durch das sich zunehmend dreister gebärdende *Braunhemdentum* (37/182), beschäftigte sich Mehring ab 1930 fast nur noch mit Lesestoff, der seinem Kulturpessimismus – *auch aus des Gegners Worten sauge ich Belehrung* (20/203) – entgegen kam. Damit aber hatte er sein Bemühen um literarische Gesinnungsgenossen, das seinen drei ersten Buchrezensionen noch abzulesen ist, zugunsten einer überraschend strikten Suche nach Negativ-Vorbildern aufgegeben. Autoren wie der pazifistische Maximilian Harden (vgl. 14), der Satiriker Mynona (vgl. 3) und der zum Hymnisch-Mythischen tendierende Ernst Weiss (vgl. 13) interessierten den vierunddreißigjährigen Mehring nicht mehr – jedenfalls nicht so weit, um sie den »Weltbühne«-Lesern weiterhin zu empfehlen. In den letzten drei Jahren der Weimarer Republik interessierte ihn fast nur noch der *Wahnwitz* (53/939), den er sich mit der Literatur aus der Umgebung des *großen Trommlers* (31/169) Adolf Hitler holte. Autoren wie der rassensoziologisierend durch Südafrika ziehende Wilhelm Rothaupt, dessen Schwarzweißmalerei *Weiße Arbeiter – Farbige Faulenzer* er mit dem Ausruf verballhornte *Achso! Nein! Verzeihung!* (38/247 f.), oder Hanns Heinz Ewers, ein *häufiger Gast* seines Vaters, forderten ihn zu seinen geschliffenen Polemiken heraus. Erstaunlich dabei ist, wie leichtfüßig er mit diesen Erzeugnissen der *Anhänger der germanischen Rettungsaktion* (32/288) umsprang angesichts der realen fortwährenden *Bedrohungen der jüdischen wie der nichtjüdischen Intellektuellen* (31/171), die er schon 1931 konstatierte.

Spätestens jedoch mit der »Begrüßung Hitlers auf literarischem Gebiet« (23) ließ sich Mehring soweit auf die Kahlschlagmentalität der NS-Ideologen ein, daß sie Bestandteil seiner Satire wurden: *Holzt sie nieder: die Gerhart Hauptmann, Heinrich, Thomas Mann, die Kaiser und Benn und wie diese orientalischen Gewächse alle heißen* (23/508) – eine Empfehlung, die sich mit der Bücherverbrennung bewahrheiten sollte und die deutlich macht, wie ernst Mehring die Aussagen des Nationalsozialismus nahm.[9] Damit steigerte er aber nicht nur den Zynismus ins Masochistische, drückte er nicht nur aus der Betroffenheit heraus eine aberwitzige Sehnsucht nach dem verhaßten Gegner aus – *Baut ehrliche Brache auf, ein Drittes Reich, einen Garten Eden der Kleinbürger mit unbedrucktem Stullenpapier, wo die Familien Kleinkaliber schießen und Hakenkreuze statt der Goethe sprießen* (23/508) –, sondern gab die Satire zugleich der Auflösung preis. Das war nicht mehr die *Relativierung jedes Wertsetzens überhaupt*, eine Forderung an den Satiriker, die Mehring 1921 stellte, sondern die Identifikation mit der zu kritisierenden Vorlage: *Die auf der Bank der Spötter sitzen (...) bekämpfen die Dogmen nicht, sondern identifizieren sich mit ihnen bis zum Widersinn* (3/506); und so, weil die Realität absurd ist, wirkt die Übernahme der absurden Realität in die Satire schockierend.

14

Teilweise verschlugen die literarischen Hervorbringungen des Gegners Mehring buchstäblich die Sprache. Dem Zynismus etwa des ehemaligen »Stahlhelm«-Redakteurs Friedrich Wilhelm Heinz war mit einer Satire nicht mehr beizukommen; auf dessen Versuch, *aus einem nur medizinisch kommentierbaren Wust von Blutrausch, Lyrik, gefälschter Historie, verirrter Grübelei das Recht zum Menschentöten zu erweisen* (53/937) reagierte Mehring nur noch hilflos: *Was in diesen wenigen Sätzen sich mengt, läßt sich kaum noch erläutern* (53/939).

Es zeugt von Mehrings Selbstverständnis als unerschrocken engagiertem Publizisten, daß er sich – Jude, Pazifist, Linksintellektueller – der breiten Skala der nationalsozialistischen Hetzparolen bedingungslos aussetzte: *Nein, dies (ist) nur eine Vorschau vor jenem Abschnitt, da Deutschland erwachen wird mit abgerollten Köpfen* (23/507). Daß Mehring sich bedroht fühlen mußte, steht außer Zweifel; wenn er die perversen Vernichtungsphantasien eines Rolf Stürmers mit der Bemerkung unterbrach: *Moment mal! Es hat geklingelt! (. . .) Ach nichts! Bloß der Gasmann!* (24/543), dann versuchte er, sich von dieser Bedrohung, indem er sie krass-plastisch darstellte, frei zu schreiben – unabhängig von seiner Behauptung: *Kein Künstler kann übertreiben; was er an Teuflischem sich ersinnen mag, die Wirklichkeit ist ihm überlegen* (22/436).

Die Andacht ist aus, die Tragödie geht weiter (22/436)
Mehrings kulturpolitisches Verständnis

Man ahnt, welche Katastrophe notwendig gewesen sein mußte, daß Mehring letztendlich an Schreiblähmung[10] zugrunde ging. Besieht man seine Theater-, Film-, Buchrezensionen, seine Satiren, Reportagen und Reisebeschreibungen, dann ist deren Schreibvitalität und Themenvielfalt nur mit der ungebändigten Neugier auf die Welt zu erklären, einer Neugier, die ihm durch das Exiltrauma völlig verloren ging. Seine Beiträge in der »Weltbühne« von 1920 bis 1933 lassen sich durchaus als journalistisch-belletristische Variante neben seine »Chronik der Lustbarkeiten«[11] stellen.

Eine Reihe von Publikationen geht auf persönliche Erlebnisse Mehrings unmittelbar zurück: »Die Fünf von der Prüfstelle« (33) ist die Antwort auf die Zensur des Granowski-Montagefilms »Lied vom Leben«, zu dem er die Texte und Lieder geschrieben hatte; die beiden Reportagen »Catalunya I« (34) und »Catalunya II« (35) sind aufgrund seiner mehrwöchigen Reise in die junge Republik Spaniens, im Sommer 1931, entstanden; »Kleiner Seitenhieb« (36) ist die Zurückweisung des gegen ihn nach der Premiere der »Großherzogin von Geroltstein« erhobenen Plagiatvorwurfs, er habe die Verse der Übersetzung von Julius Hopp übernommen; die »Rede gegen den Antisemitismus« (31) schließlich hatte Mehring auf Verlangen der »Ligue de la défense contre l'Antisemitisme« vor viertausend Personen in der »Salle Wagram« gehalten.

Einige dieser Texte zeigen, daß Mehring in der Kultur das Spiegel-
bild der politischen Realität sah. Die NSDAP verspottete er anhand
ihres kläglich scheiternden Versuchs, Goethe als »Pg.
Goethe« (39) zu vereinnahmen, Hitler begrüßte er *auf literarischem Gebiet* (23),
Richard Wagner war für ihn der *Diktator im dritten Reich der Töne* (55/
286).

Mehrings Opposition äußerte sich nie im Sinne der strengen Sy-
stemanalyse, wie etwa Brecht. Ob er nun den Regierungsrat Karl
Brunner[12], der das sexualfeindliche Gutachten über die Arthur-
Schnitzler-Komödie »Reigen« abgab, als *alternden Öffentlichen-
Anstoß-Nehmer* (8/598) verlachte, oder in dem Ermittlungsverfahren
gegen seinen Freund George Grosz *förmlich den stahlharten Busen, an
dem die Mutter Germania die deutsche Kunst ohne geschlechtliche
Beziehung nährt* (12/705), sah – stets bestand das eigentliche Vergnü-
gen für Mehring in dem Essayistisch-Spöttischen, in der geistreichen
Verhöhnung des Objekts, in der sarkastischen Schadenfreude.

Seine Kritik an den deutschen Zuständen, dem adeligen Kasten-
geist, der rechtslastigen Justiz, der monarchistisch restaurierten
Staatsbürokratie, transformierte er in bildreich-groteske Entwürfe.
Als Leopold Jessner 1930 die Leitung des Berliner Staatstheaters
abgab, schlug Mehring als »Jeßners Nachfolger« (17) den in Holland
im Exil lebenden Ex-Kaiser Wilhelm II. vor, konstruierte für dessen
Spielplan ein nicht enden wollendes Serienstück und setzte Hjalmar
Schacht, seit 1923 Reichsbankpräsident, an die Theaterkasse. Mehring
jonglierte mit den politischen Gegnern und verpflanzte sie in eine
Irrealität, die sich der Realität durch die Hintertür wieder annäherte.
Nur diese Kreativität ermöglichte ihm das Leben als Sprachlust und
die Sprache als Lebenslust, auch wenn – oder gerade weil – er über die
Entwicklung der deutschen Republik, die auf dem *Leichenwagen*[13]
ihrem Ende zurollte, so verbittert war: *Was aber eine Republik ist, das
wissen wir nicht und werden es auch nie herausbekommen* (19/161).

Im Widerspruch zu der Tatsache, daß das Schreiben für Mehring die
einzig mögliche Form der Existenz war, stand die pessimistische Ein-
schätzung der Wirkung von Literatur überhaupt. Schon in einer seiner
ersten Buchrezensionen schrieb er 1924: *Daß dieses Buch (. . .) nichts
ändern kann, weiß Harden selbst. Nibelungen mit Kneifer und Röll-
chen, die, auch ohne Juden zu sein, ganz gut mit dem Rentenrheingold
zu wuchern verstehen und die Masse zwischen Hurra und Hunger wäh-
len lassen, werden auch eine Persönlichkeit wie ihn jlatt erledijen* (14/
36). 1930 notierte Mehring, und es liest sich wie ein Bild, das die eigenen Möglichkeiten beschreibt: *Streng und gerecht ist der Mensch,
solang er Zuschauer spielt, nichts bleibt ihm verborgen, auf Freibillets
oder Barzahlung. Aber nach Theaterschluß ist er von allen guten Gei-
stern verlassen wie der Andächtige nach der Messe von Gott, und, nachdem er der Darstellung Sünde geflucht, geht er hin und tuet desglei-
chen. Die Andacht ist aus, die Tragödie geht weiter* (22/436).

1 In: »Weltbühne«, Jg. 16, Nr. 48, 25.11.1920, S. 621. — **2** Mehring selbst macht unterschiedliche Angaben darüber, wann er zum Heeresdienst einberufen wurde. »Die Walter-Mehring-Chronik = von ihm selbst verfaßt«, veröffentlicht in: »Akzente«, 1975, S. 274 f. notiert für das Jahr 1916: *Nov. einberufen zum Heeresdienst (frontdiensttauglich) = als Teilnehmer der Antikriegs-Liga des Harry Grafen Kessler eingewiesen in das ›Verdächtigen‹-Lager Jüterbog – dann in die Munitionsfabriken Velten und Spandau (. . .).* In: »Verrufene Malerei«, Zürich, 1958, gibt er an, er hätte den *Gestellungsbefehl* (S. 7) im Februar 1916 erhalten und außerdem *vier Kriegsjahre hindurch, zwei in Jüterbog, Altes Lager, und zwei beim Spandauer Trainbataillon und auf Munitionstransporten* (S. 27 f.) zugebracht. Ch. Buchwald gibt an, Mehring sei wegen ›*Unzuverlässigkeit*‹ *vorzeitig aus seinem Regiment entlassen worden* (In: Walter Mahring, »Chronik der Lustbarkeiten«, Düsseldorf, 1981, S. 464). — **3** Der mit »Staatenlos im Nirgendwo« betitelte zweite Gedichtband der Walter-Mehring-Werke, Düsseldorf 1981, ist, wie der Klappentext vermerkt, ein *Buch der Exile.* Mehrmals betonte Mehring später, daß sein Exil eigentlich am Tage seiner Geburt begonnen habe. *Und ich nehme das auch als meine Bestimmung hin, als mein Horoskop, dessen Aszendenten ich bis heute noch nicht eruiert habe;* so Mehring in einem Gespräch mit Klaus Fugge und Horst Helmut Kaiser in der vom Südwestfunk am 6. 1. 1974 ausgestrahlten Sendung »Walter Mehring erzählt«. Ähnlich in: »Das dritte Reich«, Sammel-Dokumentation, Chefredakteur Christian Zentner, Nr. 4, 1974. — **4** Vgl. die Ansprache Wilhelms II. vom 18. Dezember 1901 »Die wahre Kunst« in: Ernst Johann (Hg.); »Reden des Kaisers«, S. 99 ff. — **5** Der Einfluß des Vaters Sigmar Mehring, geb. am 17. 2. 1856, war sicher bedeutsam. Sigmar Mehring verfaßte nicht nur, wie dem Anzeigenanhang zu seinem Buch »Lorbeerkränze«, Berlin 1912, zu entnehmen ist, eine »Deutsche Verslehre« und »Humoristische Schriften«, übersetzte nicht nur Villon, Verlaine, Whitman, Swinburne (vgl. Walter Mehring: »Der Zeitpuls fliegt«, Reinbek b. Hamburg, 1958, Einleitungstext), sondern war auch, so Walter Mehring in dem Aufsatz »Berlin avantgarde«, in: »Expressionismus«, hrsg. von Paul Raabe, 1965, S. 117, *Chefredakteur eines ›verschmockten, unsäglich humorlosen Witzblattes‹,* nämlich des »Ulk«, der satirischen Beilage des »Berliner Tagblatts«. Schon in seiner Jugendzeit las Mehring die von seinem Vater angestrichenen Zeitungsausschnitte vor ihrer Verarbeitung und schärfte so *vorwitzig seinen Instinkt für Ironie* (dto. S. 116). — **6** In: Klaus Petersen: »Die ›Gruppe 1925‹«, Heidelberg 1981, S. 206. — **7** Vgl. Mehrings Angabe in einem Brief vom 30. 5. 1937 an Rudolf Olden: *Nun bin ich, soviel ich weiß, noch immer Mitglied des PEN-Clubs, dem ich vor neun Jahren beitrat.* In: Walter Mehring: »Staatenlos im Nirgendwo«, Düsseldorf, 1981, S. 229. — **8** Flugblatt im Institut für Sozialgeschichte, Amsterdam. — **9** Mehrings seherisches Gespür läßt sich verschiedentlich belegen. Am 7. Oktober 1930 schrieb er: *Es wird sehr einsam im Dritten Reiche werden* (24/544); am 3. Februar 1931 prophezeite er: *Entweder, also, alle Kräfte einigen sich, um die Arbeitslosigkeit, die Wirtschaftskrise zu bekämpfen – oder Europa wird sich morgen vor einer der blutigsten Katastrophen finden, die es je gekannt hat* (31/171). Am 27. Februar 1933 warnte Mehring Brecht, der in einem Berliner Krankenhaus operiert werden sollte. Wie Mehring in dem oben erwähnten Gespräch mit K. Fugge und H. H. Kaiser, ausgestrahlt vom Südwestfunk, erzählte, befolgten Helene Weigel und Brecht seine Warnung. (Anders in: Klaus Völker: »Brecht-Chronik«, München, 1971, aufgrund derer Brecht vor dem 28. Februar operiert wurde. Vgl. S. 55). Carl von Ossietzky und Hellmuth von Gerlach ließen sich dagegen nicht zur Flucht überreden. (vgl. in: »Der Zeitpuls fliegt«, Hamburg, 1958, S. 105 ff.; ebenso: Walter Mehring: »Carl von Ossietzky«. In: Deutsche Rundschau«, 85. Jg., 1959, S. 904 f.) — **10** Vgl. Christoph Buchwald: »›Odysseus hat entweder heimzukommen oder umzukommen‹‹«, in: »Die Horen«, Band 1, Frühjahr 1982, 27. Jg., Hannover, S. 15 ff., hier S. 18. — **11** So der Titel des 1. Gedichtbandes der Walter-Mehring-Werkausgabe, Düsseldorf 1981, der die Gedichte, Lieder und Chansons der Jahre 1918 bis 1933 umfaßt. — **12** Karl Brunner, Mitglied der Deutschen Volkspartei, war ein Beamter des Wohlfahrtsministeriums und gab Gutachten ab gegen eine Kunst, die er und die Richter für unsittlich hielten. Die Redaktion der »Weltbühne« bat eine Reihe ihrer Autoren, u. a. Iwan Bloch, Paul Cassirer, Alfred Döblin, über Brunners Gutachten ihrerseits Gutachten abzugeben. Vgl. dazu »Weltbühne«, Jahrgang 17, 1921, S. 230; 477; 501 ff; 521 f; 524 f; 550 f; 570 f; 599 f; 624 ff; vgl. ebenso in: »Akzente«, 12, 1965, S. 210 ff; »Literatur vor Gericht«. — **13** Vgl. den Abgesang auf die Weimarer Republik »Ein Leichenwagen fährt vorüber«, Erstveröffentlichung in: »Die Weltbühne«, 29. Jg., 24. 1. 1933, Nr. 4, S. 148; auch in: Walter Mehring: »Chronik der Lustbarkeiten«, a.a.O., S. 415 ff.

Übersicht der publizistischen Beit...

Jg.	Nr.	Seite	Erscheinungsdatum		Theater	Buch	Film	Reise	Justiz	Presse
16	35	240/42	1920	26. Aug.	x					
16	36	266/67		2. Sept.						
17	18	506/07	1921	5. Mai		x				
17	21	591		26. Mai						
17	36	249/51		8. Sept.	x					
17	37	272/73		15. Sept.		x				
17	39	306/09		29. Sept.			x			
17	50	598/99		15. Dez.				x		
18	9	225/26	1922	2. März						
18	32	146/48		10. Aug.						
19	13	349/50	1923	29. März						
19	24	705/06		14. Juni					x	
19	29	75/76		19. Juli		x				
20	2	35/37	1924	10. Jan.		x				
20	8	249/50		21. Febr.	x					
25	1	37	1929	1. Jan.						
26	6	220/21	1930	4. Febr.						
26	17	606/08		22. April						x
26	31	160/63		29. Juli						
26	32	203/05		5. Aug.		x				
26	37	385/89		9. Sept.						
26	38	435/37		16. Sept.	x					
26	40	507/08		1. Okt.						
26	41	543/44		7. Okt.		x				
26	44	641/44		28. Okt.		x				
26	45	690/92		4. Nov.		x				
26	47	754/56		18. Nov.	x					
26	49	820/21		2. Dez.						
26	50	870/72		9. Dez.	x					
26	51	926		16. Dez.			x			
27	5	168/71	1931	3. Febr.						
27	8	288/90		24. Febr.		x				
27	13	460/61		31. März			x			
27	24	875/78		16. Juni				x		
27	25	906/09		23. Juni				x		
27	51	929/31		22. Dez.		x				
28	5	182/83	1932	2. Febr.						
28	7	247/49		16. Febr.		x				
28	8	285/88		23. Febr.						
28	11	416/18		15. März						
28	14	512/13		5. April						x
28	19	714/15		10. Mai		x				
28	21	782/84		24. Mai						
28	22	832/33		31. Mai						
28	27	35		5. Juli						
28	30	144/46		26. Juli						
28	33	234/36		16. Aug.						
28	35	330		30. Aug.						
28	38	423/24		20. Sept.						
28	39	485		27. Sept.						
28	44	668/69		1. Nov.			x			
28	45	671		8. Nov.						
28	52	937/41		27. Dez.		x				
29	2	59/63	1933	10. Jan.		x				
29	8	286/87		21. Febr.						
29	10	358/59		7. März						

Malerei	Politik	Sonsti-ges	Sg.	Titel
			1	Othello, eine jiddische Operette
	x		2	Die Legende
			3	Die Bank der Spötter
		xx	4	Der Vater / Aus großer Zeit
			5	Pariser Theater
			6	Bei Pharaos
			7	Die welsche Grenze
			8	Gutachten über Brunner
	x		9	Grabrede auf Castans Panoptikum
	x		10	Der Bayrisch-Preußische Weltkrieg
x			11	Abrechnung
			12	Abrechnung folgt
			13	Nahar
			14	Hardens Buch
			15	Georg Kaiser in Paris
	x		16	Brief über einen Herrn Tucholsky
x			17	Jeßners Nachfolger
			18	Die Affäre
x			19	Aufruf zur Gründung d. Neuen Kaiser-Partei
			20	Aus dem Geheimnis der Weisen von Zion
x			21	Die Dreyfusards
			22	Das Publikum beklatscht seine eigene Schande
x			23	Begrüßung Hitlers auf literarischem Gebiet
			24	Wie werde ich reich und völkisch
			25	Geschichte einer Diktatur
			26	Le backfisch chez les Barbares
			27	Geramschte Milieus
x			28	Oustric
			29	Donogoo oder die Wunder der Regielosigkeit
			30	Protest gegen einen Protest
x			31	Rede gegen den Antisemitismus
			32	Überschätzung von Politik
			33	Die Fünf von der Prüfstelle
			34	Catalunya I
			35	Catalunya II
			36	Kleiner Seitenhieb
	x		37	Welsche Tücke
			38	Grauenvolle Zustände in Afrika
x			39	Pg. Goethe
x			40	Ich zeige an!
			41	Wunder der Statistik
			42	Tugend in zwei Versionen
x			43	Serajewo gefällig
x			44	Kulturrettung E.V.
	x		45	Das Bild
x			46	»M . . . pour la guerre!«
x			47	Rückkehr zur Lebensfreude
x			48	Pazifismus – ein schlechtes Geschäft
x			49	Ein Satiriker
	x		50	Kleines Lehrstück der Zensur
			51	Überdeutsche Dichtung
	x		52	Der Prophet
			53	Kille mit Schmus
			54	Einheirat! Horst Wessel Alraune, geb. Ewers
	x		55	Der ewig getreue Wagner
x			56	Fascistische Malerei?

Murray G. Hall

Biographie als Legende

Wie nur wenige seiner Zeitgenossen hat Walter Mehring seine Biographie stilisiert und bis zuletzt das Bild vom ›poète maudit‹ kultiviert. Dichtung und Wahrheit in seiner Lebenschronik hat er oft selbst kaum noch unterscheiden können und so zu manchen Mißverständnissen und Fehlschlüssen Anlaß gegeben. Über zwei Bücher, deren ›Verbotsakten‹ noch vollständig erhalten sind, hat sich Mehring autobiographisch geäußert, und in der Gegenüberstellung von Selbstaussage und Dokument wird die Legende sichtbar.

Die Verwirrung beginnt mit Mehrings Reise nach Wien im Jahre 1934. In den Fragmenten aus dem Exil »Wir müssen weiter« heißt es dazu:

> Als ich im Sommer 1934 im Abend-D-Zug Paris−Zürich−Wien hier einreiste, empfing mich am Westbahnhof eine lokale Verlautbarung, daß mein Versbändchen »Und Euch zum Trotz« am Tag zuvor konfisziert worden war. Und so schien es mir geraten, statt ein Stundenhotel am Neubaugürtel vorsichtshalber erst einmal ein Caféhaus aufzusuchen.[1]

Und ein paar Seiten weiter heißt es im Widerspruch dazu:

> Nach Wien war ich ausgereist, weil ich in Paris bezichtigt wurde (...)
> Eingereist war ich wenige Tage nach dem Naziattentat auf Engelbert Dollfuß. (...) (S. 32)

Es gibt bei Mehring nicht nur in der zeitlichen Folge der Ereignisse zwischen *Ankunft* und *Anschluß* beträchtliche Irrtümer, auch seine Ortsbeschreibungen sind ungenau: Er schreibt z. B. von der *Fürstengruft*, statt der *Kaisergruft*, ortet den ›Sacher‹ am Opernring, statt in der Philharmonikerstraße, hat ein Rendezvous *Unter Flieder im ›Hofgarten‹* und meint wohl den Burggarten. In seinem Vorwort zu »Müller. Chronik einer deutschen Sippe« (1960 und 1978) wird er in die *Bundeskanzlei* statt ins Bundeskanzleramt vorgeladen.

Wenn Mehring am Tag nach der Konfiskation von »Und Euch zum Trotz« in Wien angekommen ist, dann kann das nicht zugleich *wenige Tage* nach dem Attentat auf den österreichischen Bundeskanzler gewesen sein. Dollfuß wurde am 25. Juli 1934 ermordet. Die erste Ankündigung in Österreich für das Werk »Und Euch zum Trotz« *(demnächst erscheinen:)* findet sich in einer Anzeige des »Verlag der Europäischen Merkur« in Paris am 19. Mai 1934 im österreichischen Pendant zum »Börsenblatt«, nämlich dem »Anzeiger für den Buch-,

Kunst- und Musikalienhandel« in Wien. Am 23. Juni 1934 wurde das Buch nach einem Antrag der Staatsanwaltschaft Wien beschlagnahmt. Was die Verbotspolitik in Österreich betrifft – und sie unterscheidet sich grundlegend in den Mitteln und Methoden von der Schrifttumsindizierung in Nazi-Deutschland –, so gab es nach 1933 drei wesentliche Verbotskriterien, allesamt entweder durch Bundesgesetzblätter oder durch das Strafgesetz gedeckt:

1. Verbot der NSDAP in Österreich sowie für Druckschriften, die eine Propaganda für diese Partei darstellten (BGBl. Nr. 240/1933 vom 19. Juni 1933).»Liste 1«
2. Verbot der Kommunistischen Partei Österreichs (BGBl. Nr. 200/1933) und Verbot der Sozialdemokratischen Partei Österreichs (BGBl. Nr. 78/1934) sowie Druckschriften, die eine Propaganda für diese Parteien darstellten.»Liste 2«
3. Verbot auf Grund eines Antrags der Staatsanwaltschaft und des folgenden richterlichen Beschlusses im Landesgericht für Strafsachen Wien I nach Bestimmungen des Strafgesetzes.»Liste 3«

So gab es in Österreich zwischen 1933 und 1938 mehrere tausend Gerichtsverhandlungen (Schöffengericht!), die darüber zu entscheiden hatten, ob eine Beschlagnahme aufrechtzuerhalten sei oder nicht. Das Gros dieser Gerichtsakten ist erhalten geblieben. Im Fall Mehring beantragte die Staatsanwaltschaft Wien am 23. Juni 1934

> *Beschlagnahme gem. § 38 PrG.[2] des Gedichtebandes »Und Euch zum Trotz«, weil das Gedicht »Ain New Weihnacht Lied« zur Gänze (S. 46–47), das Gedicht »Stille Fürbitte« in der Stelle »Dass einer Demut gepredigt ... Oedet die Seligkeit« (S. 49), das Gedicht »Maria« in der Stelle »Der da am ... und lacht!« (S. 73), das Gedicht »Das Rosenwunder von Lisieux« zur Gänze (S. 78–80), das Gedicht »Ziehende Schafherde« zur Gänze (S. 83–84) und das Gedicht »Des Tippelkunden Frühlingslied« in der Stelle »Denn wo Gottes ... kein Jaras mehr!« (S. 96) den Tatbestand des Vergehens nach § 303 StG. zu begründen geeignet ist.*
>
> *Staatsanwaltschaft Wien I, am 23. 6. 1934.[3]*

Kurz darauf wurde entschieden, den Akt einem Schöffengericht vorzulegen. Ausgangspunkt für diese Amtshandlung war die Beschlagnahme von 29 Exemplaren des Mehring-Werks im Zolloberamt Wien.

Die Darstellung von Mehring und seiner Freundin Hertha Pauli[4] ist freilich weniger prosaisch: die Geschichte vom gutmütigen *Polizeizensor* und Mehring-Verehrer im Zug, der sich ein Autogramm in ›seinem‹ Exemplar des verbotenen Buchs wünscht (Mehring, S. 13, Pauli, S. 28), ist zwar amüsant, aber es bleibt doch der Verdacht, daß es sich bei dieser Darstellung der Ereignisse eher um Dichtung denn um Wahrheiten im biographischen Sinne handelt.

Am 15. September 1934 kam es zur Hauptverhandlung in Abwesenheit eines Vertreters des Angeklagten. Nach Verlesen der inkriminierten Stellen wurde der Verfall des Gedichtbandes nach § 303 StG.bekanntgegeben. Die Gründe:

> (...)
> *In objektiver Hinsicht liegt der Tatbestand des Vergehens nach § 303 STG. vor:*
> *In den inkriminierten Gedichten beziehungsweise Gedichtstellen wird die Verurteilung eines gewissen Georg Grosz wegen Gotteslästerung in einer Gott verhöhnenden Weise besprochen, die Predigt eines Religionsdieners lächerlich gemacht und die von der christlichen Kirche gelehrte »Gemeinschaft der Heiligen« ebenso der gekreuzigte Heiland verspottet. Der Glaube an die Wundertätigkeit von Personen, die von der christlichen Kirche für heilig erklärt wurden, wird ebenso wie das Walten Gottes in verspottender Weise herabgewürdigt.*
> *Es werden somit Lehren und Einrichtungen einer im Staate gesetzlich anerkannten Kirche verspottet und herabzuwürdigen gesucht. (§ 303 STG.)*
> *Angesichts dieses strafbaren Tatbestandes war auf den Verfall des Gedichtbandes zu erkennen.*
> (...)

Die Kosten des Verfahrens waren wie in den meisten Fällen *uneinbringlich.*

Im zweiten Jahr seines Wien-Aufenthaltes, 1935, wurde Mehring die deutsche Staatsbürgerschaft aberkannt. Er stand jedoch nicht, wie Hertha Pauli behauptet, *auf der ersten Goebbelsliste* (S. 11). In der Berliner Ausgabe des »Völkischen Beobachter« findet sich in der Ausgabe vom 12. Juni 1935 eine unscheinbare Notiz auf der 2. Seite, »Die deutsche Staatsbürgerschaft aberkannt":

> Auf Grund des § 2 des Gesetzes über den Widerruf von Einbürgerungen und die Aberkennung der deutschen Staatsangehörigkeit vom 14. Juli 1933 (Reichsgesetzblatt I, S. 480) hat der Reichs- und Preußische Minister des Innern folgende Angehörige der deutschen Staatsangehörigkeit für verlustig erklärt, weil sie durch ihr Verhalten, das gegen die Pflicht zur Treue gegen Reich und Volk verstößt, die deutschen Belange geschädigt haben (...).

Neben Bertolt Brecht, Kurt Hiller, Erika Mann, Friedrich Wolf u.v.a. findet sich Walter Mehring. Nachsatz: *Das Vermögen sämtlicher oben genannten Personen ist beschlagnahmt worden.*

Im Jahre 1935 erschien im Wiener Gsur-Verlag[5], der dem dritten Wiener Vize-Bürgermeister (seit 6. April 1934), Dr. Ernst Karl Winter gehörte, der satirische Roman »Müller. Chronik einer deutschen Sippe«. Und gerade über diese Veröffentlichung gibt es die meisten

Legenden bzw. Irrtümer. Der größte Legendenschreiber war Mehring selbst. Seine Darstellung aus dem April 1960:

Als zufällig das Manuskript dieses Buches 1934 zur Kenntnis von Professor Dr. Ernst Karl Winter, damaligem Vizebürgermeister der Stadt Wien, gelangte, entschloß dieser sich spontan, es in der Druckerei seines Gsur-Verlages zu publizieren, die seine scharf polemischen, heftig bekämpften, sozialistisch theologischen Pamphlete herstellte.

Knapp drei Monate nach dem Erscheinen forderte der deutsche Gesandte, Herr von Papen, namens der Reichsregierung die Beschlagnahme und Vernichtung des »Machwerkes, das eine vorsätzliche Kränkung des arischen Rasse-Empfindens und eine grobe Entstellung der germanischen Geschichte« darstelle.

Eines Frühmorgens, vor Beginn der Amtsstunden, wurde der verantwortliche Verfasser vom österreichischen Pressechef, Herrn Minister Ludwig, in die Bundeskanzlei vorgeladen und informiert, daß »sich unsere Regierung leider genötigt« sähe, »Ihr Werkchen, das ich beiläufig mit viel Vergnügen gelesen habe, konfiszieren zu lassen, um schlimmeren Maßnahmen vorzubeugen, nämlich der Überstellung Ihrer werten Person an die großdeutschen Behörden.«[6]

An dieser »Kleinen Reminiszenz« stimmt so gut wie gar nichts. Erstens ist anzunehmen, daß Dr. Ernst Karl Winter im Jahre 1935 das Manuskript kennenlernte, und zwar nach dem 1. April. Mit Datum seiner Bestellung zum 3. Wiener Vize-Bürgermeister meldete er nämlich den *Nichtbetrieb* seiner Verlagskonzession an. Aus Angst, sie könnte der Einziehung verfallen, meldete er den Wiederbetrieb mit 1. April 1935 bei der Korporation der Wiener Buch-, Kunst- und Musikalienhändler wieder an. Der Verlag hatte – trotz Mehring – keine Druckerei. Das Buch wurde von der Buchdruckerei Carl Gerold's Sohn, Wien, hergestellt. Die erste Ankündigung nahm Winter selbst vor, und zwar in seinem eigenen Organ »Wiener Politische Blätter«[7] am 13. Oktober 1935:

Die beiden Romane, die der Verlag Gsur & Co. in den nächsten Wochen herausbringen wird, Hermynia Zur Mühlen, »Unsere Töchter, die Nazinen« und Walther Mehring, »Müller, Die Geschichte einer deutschen Sippe«, liegen auf der antinationalsozialistischen Linie, für die wir immer das »Bündnis von rechts bis links gegen den Nationalsozialismus« gefordert haben. (...) Die Verfasser der beiden Romane kommen aus dem sozialistischen Lager; sie sind überdies deutsche Emigranten. (...) Walther Mehring ist kein Österreicher; er ist ein aus Deutschland emigrierter sozialistischer Schriftsteller (aus der Familie des bekannten Marx- und Engels-Forschers Franz Mehring). Sein Roman ist noch weniger ein österreichisches

*und noch mehr ein ausschließlich antinationalsozialistisches
Buch: eine Satire auf den Tassismus. In diesem Buch steht
manches, das vielleicht etwas fremd klingt, das in Paris, wo
Mehring mehr als ein Jahrzehnt gelebt hat, stärker beheimatet
ist als in Wien. Wir werden dadurch auch manches Mißverständnis hervorrufen. Wir publizieren diesen satirischen
Roman nicht, weil wir diese Waffe für die einzig richtige und
mögliche halten, die gegen den Nationalsozialismus angewen-
det werden muß; noch viel wichtiger ist zweifellos die intellektuelle Auseinandersetzung, die allerdings bisher in Österreich
noch nicht sehr weit fortgeschritten ist, der jedenfalls die
bereits angekündigte neue Schrift von Thomas Murner dienen
wird. Daneben ist es aber die satirische Auseinandersetzung,
selbst wo sie vielleicht, was übrigens in ihrem Wesen liegt, das
Maß verliert, nicht zu entbehren. Das neue Buch von Mehring
ist ein köstlicher Beitrag zum Kampf gegen den Nationalsozialismus mit den Waffen des Witzes und des Spottes, den wir
dem österreichischen Lesepublikum gerne vorlegen. Stammt er
auch aus einer Denkweise, die der sozialistischen Leserschaft
näher stehen dürfte als der katholischen oder konservativen, so
schien es uns dennoch notwendig, diesem Roman eines geist-
vollen Hassers des Nationalsozialismus das Heimatrecht in
Österreich zu gewähren: nicht nur, weil es die Aufgabe Österreichs ist, die Einheitsfront gegen den Nationalsozialismus
zustandezubringen, sondern auch weil nur auf diesem Weg
aus einem, dem das Heimatrecht gewährt wird, auch wenn er
dem österreichischen Boden noch nicht ganz zugehörig ist, ein
Österreicher und vielleicht selbst ein österreichischer Dichter
werden kann. Wir wissen nicht, ob Mehring einmal einen österreichischen Roman schreiben wird, von der Kritik zum Aufbau sich wendend, – sicher ist, daß nur das Heimatrecht, das
Österreich den deutschen Emigranten gewährt, ihren Haß
gegen Deutschland in eine fruchtbare Kraft des europäischen
Aufbaues verwandeln kann.*

In die Buchhandlungen gekommen ist das Buch wohl vor Mitte
Dezember dieses Jahres. Also keineswegs *knapp drei Monate nach
dem Erscheinen* hat der deutsche Gesandte in Österreich, Papen, am
14. Dezember eine Verbalnote (A. 3054) an das Bundeskanzleramt,
Ausw. Angelegenheiten, in Wien gerichtet, in der er ein Verbot bloß
nahelegte.[8] Der Wortlaut der Note im Original:

*Die Deutsche Gesandtschaft beehrt sich unter Bezugnahme auf
die am 11. d. M. erfolgte Rücksprache des Herrn Gesandten
mit dem Herrn Bundesminister für Auswärtige Angelegenheiten die Aufmerksamkeit des Bundeskanzleramts – Auswärtige
Angelegenheiten – nochmals auf das als Roman bezeichnete
Buch von Walter Mehring »Müller, Chronik einer deutschen*

Sippe« zu lenken. Dieses Buch ist im Verlag Gsur & Co., Wien 6, Rechte Wienzeile 97 erschienen und das erste der geplanten Bücherfolge für eine »Österreichische Buchgemeinschaft«, die der Verlag aus den Lesern und Freunden der »Wiener Politischen Blätter« des Herrn Vizebürgermeisters E. K. Winter ins Leben rufen will, um die Produktion des antinationalsozialistischen, sozialen und österreichischen Buches möglich zu machen.

In seiner antinationalsozialistischen Tendenz und in der offenbaren, besonderen Absicht, die Bedeutung von Blut und Boden im Völkerleben lächerlich zu machen, hat der Verfasser mit seinem Roman »Müller, Chronik einer deutschen Sippe« ein Machwerk geliefert, das das Deutschtum mit dem zu großem Teil als geradezu pornographisch zu bezeichnenden Inhalt in empörendster Weise herabwürdigt und verletzt. Die Deutsche Gesandtschaft würde mit besonderem Dank anerkennen, wenn das Bundeskanzleramt – Auswärtige Angelegenheiten – das genannte Buch prüfen und die sich daraus für die Wahrung der Sittlichkeit und das damit verbundene gesamtdeutsche Interesse ergebenden Folgerungen ziehen würde.

Wien, den 14. Dezember 1935.

Sowohl das Außenamt als auch die Generaldirektion für die öffentliche Sicherheit und die Bundes-Polizeidirektion Wien befaßten sich mit Mehring und seinem Roman. In einer *streng vertraulichen* Mitteilung der Bundes-Polizeidirektion, die am 6. Jänner 1936 um Auskunft gebeten wurde, an das Staatspolizeiliche Büro im Bundeskanzleramt vom 9. Februar wird folgendes zur Person Mehrings ermittelt:

Walter Mehring, Schriftsteller, (am 29. April 1896 in Berlin geboren, ehemals deutscher Staatsbürger, derzeit staatenlos, ledig), wohnt seit dem 1. Februar 1935 im Hotel »Fürstenhof« in Wien, VII., Neubaugürtel Nr. 4. Er betätigt sich schriftstellerisch und ist auch Mitarbeiter der in Holland erscheinenden Zeitschrift der reichsdeutschen Emigranten »Neues Tagebuch«. Er bestreitet seinen Unterhalt aus dem Erträgnis dieser seiner schriftstellerischen und journalistischen Arbeiten, das monatlich etwa 400 S betragen soll.

Walter Mehring war nach einer Notiz in der Münchner Zeitung vom 20. bis 21. August 1927 Mitglied des »Dramaturgischen Kollektivs« an der Berliner Piscatorbühne, die als kommunistisches Institut galt. Nach einem Berichte des Reichskommissärs in Berlin vom 26. November 1928 nahm er als Vertreter der kommunistischen Jugend Deutschlands im Jahre 1928 an dem Weltkongreß der Kommunistischen Internationale in Moskau teil. Er wurde offenbar wegen seiner kommunistischen Einstellung aus Deutschland ausgebürgert. Sein Name ist auch in einer im Juni 1935 im »Reichsanzeiger« veröffentlichten Liste von Personen enthalten, denen die deutsche Staatsangehörigkeit aberkannt und deren Vermögen beschlagnahmt wurde. Der »Völkische Beobachter« führte in seiner Ausgabe vom 14. Juni 1935 als Begründung für die Ausbürgerung an, daß Walter Mehring »jüdischer salonbolschewistischer Schriftsteller« sei und in der Prager Emigrantenpresse Hetzartikel schreibe.

Mehring lebt hier sehr bescheiden und hat während seines Aufenthaltes in Österreich zu nachteiligen Wahrnehmungen in sittlicher wie auch in staatsbürgerlicher Hinsicht bisher einen Anlaß nicht geboten. Er ist in Österreich nicht vorbestraft. Über eine allfällig erfolgte Bestrafung des Genannten im Auslande ist der Bundespolizeidirektion bisher nichts bekannt geworden.

Erwähnt sei noch, daß sich Mehring in seiner Umgebung über Österreich anerkennend äußert, die Verhältnisse in Deutschland dagegen abfällig kritisiert.[9]

Keine der befaßten Stellen wußte mit dem deutschen Protest etwas anzufangen: die Urteile über Mehrings Satire fielen positiv aus. So bemerkte das Außenamt (BKA, Ab. 13 pol.),

daß dieser Roman teils in humoristischer, teils in ironischer und sarkastischer Form eine phantasievolle Sippengeschichte bringt, in der die Dogmen der nat.soz. Rassendoktrin ins lächerliche gezogen werden.

Das Werk ist scharf antinationalsozialistisch, bringt aber keine Angriffe gegen das Reich oder die Reichsregierung.

Die Behandlung erotischer Themen ist frei, kann jedoch nicht als pornographisch bezeichnet werden. Das Deutschtum als solches wird nirgends angegriffen. Die Bedeutung von Blut und Boden im Volksleben wird allerdings ins Ironische gezogen, doch dürfte darin kaum ein Angriff auf Deutschland und die Reichsregierung zu erblicken sein. (ebda.)

Bezeichnend ist vor allem die Reaktion von Dr. Karl Wildmann, des Legationsrats im Außenamt und Büroleiter des Kommissärs für Heimatdienst, einer Art Ersatzpropagandaministerium in Österreich. In einem Aktenvermerk *(Einsichtsbeurteilung)* schreibt Wildmann:

Das heitere und dabei lehrreiche Büchlein verdient weiteste Verbreitung, für die gesorgt werden soll! Die VNote der deutschen Gesandtschaft wäre als »Dokument« in eine Neuauflage der »Chronik« aufzunehmen.[10]

Mehr noch: auf der Originalverbalnote gibt es aufschlußreiche Zusätze. Die Wendung Papens *die Wahrung der Sittlichkeit* ist unterstrichen und mit *geht Papen nichts* an kommentiert. Zu *gesamtdeutsches Interesse* (doppelt unterstrichen) heißt es: geht uns nichts an.

Mehrings Roman wurde also in Österreich nicht verboten, wohl stand er – wie alle Mehring-Bücher – auf der »Liste 1 des schädlichen und unerwünschten Schrifttums« (Gesamtverbot) in Nazi-Deutschland.

Mehrings Reminiszenz von der Vorsprache in der *Bundeskanzlei* (= Bundeskanzleramt) dürfte ebenfalls eine Erfindung sein. Eduard Ludwig war zwar in dem Sinne kein *Minister*, war aber Leiter des staatlichen Bundespressedientes und Präsident der neuerrichteten österreichischen Pressekammer. So einflußreich er in manchen Dingen auch gewesen sein mag, so wenig war er ermächtigt, für die österreichische Regierung zu sprechen. Allein der Gedanke einer *Auslieferung (. . .) an die großdeutschen Behörden* ist abstrus. Das ›Führungszeugnis‹ der Polizei spricht für sich.

Es gibt weitere Beweise dafür, daß der Roman in Österreich nicht verboten oder konfisziert wurde: So erschien in der Wochenzeitung »Sturm über Österreich«, die radikal antinationalsozialistisch eingestellt war und das offizielle Organ der Ostmärkischen Sturmscharen, eines 1930 gegründeten Wehrverbandes, dessen ›Reichsführer‹ eben der nunmehrige Bundeskanzler Kurt Schuschnigg war, eine durchaus positive Besprechung:

> *Walter Mehrings Roman behandelt die Geschichte einer deutschen Sippe von Tacitus bis Hitler. Ein tolles Buch, tollerem Gegenstand gewidmet: beschwingt von Geist und Ironie, reißt es den Leser fort, der die Entstehung des Preußentums amüsant und erbittert miterlebt. Haß des Wissenden schwält in diesem Buch, das einen satirischen Großangriff gegen den Nationalsozialismus darstellt. Wenn ein österreichischer Verlag dieses Buch herausbrachte, verdient er Dank: es weckt Erkenntnis, wenn diese auch nur negativ ist. Wir wünschten, der Verfasser (Sohn des großen Marxforschers) schriebe nach dem messerscharfen Chronikbericht ein positives Gegenstück: Österreich, das ihm Heimat gab und gerne gab, würde sich freuen, die großen Gaben Mehrings nach der notwendigen Erledigung des abwehrenden Teiles auf uns näherliegende Gebiete bewährt zu finden. Freunden und Kennern messerscharfer satirischer Auseinandersetzung sei der Ankauf empfohlen: wertvoll aber ist es – dies sei ganz besonders hervorgehoben! – vor allem als Geschenk für Menschen, die mehr links stehen: der ihnen vertraute Dialekt Mehrings wird hervorragend dazu beitragen, sie in die heute notwendigste Einheitsfront einzureihen, gegen den Nationalsozialismus.*[11]

Am 25. Jänner 1936 brachte auch der »Anzeiger für den Buch-, Kunst- und Musikalienhandel« eine im wesentlichen neutrale Inhaltsangabe.[12]

Die Annahme, Mehrings Roman sei in Österreich verboten gewesen, überdauerte auch den Zweiten Weltkrieg. So kam es im Verlauf einer

Zeugeneinvernahme beim Hochverratsprozeß gegen den seinerzeitigen österreichischen Staatssekretär für Ausw. Angelegenheiten, Dr. Guido Schmidt, in Wien im März 1947 zu einer ähnlichen Feststellung:

> Die wesentlichen Bücher antinationalsozialistischer Prägung wurden infolge des Juliabkommens der Reihe nach verboten, so zum Beispiel Hermynia Zur Mühlen »Die Tochter (sic!) der Nazinen« oder Walter Mehring-Müller »Deutsche Chronik« (sic!). Es ist unverständlich, daß insbesondere letzteres Werk in Österreich verboten wurde, da es in seinem Inhalte die Rassentheorie des Nationalsozialismus eindeutig widerlegte. Es bedeutet dies einen Faustschlag gerade in die Geschichte Österreichs als Land der Völkerverbindung und -vermischung. (. . .)[13]

Konkrete Beweise für seine Behauptungen vermochte der Zeuge aber nicht vorzulegen. Daß Mehring in Österreich keineswegs unbeliebt war, zeigt ein letztes Zeugnis. Im Rahmen der Normalisierung der beiden deutschen Staaten nach dem Abkommen zwischen Hitler und Schuschnigg vom 11. Juli 1936 sollte auch an der Zeitungsfront der ›Pressefrieden‹ einkehren. Im Gegensatz zur gleichgeschalteten Presse im Deutschen Reich kam dies in Österreich, wo die Preßgesetzgebung mit ihren drastischen Einschränkungen die ›Pressefreiheit‹ ohnehin zur Farce machte, einem vollendeten Maulkorberlaß gleich. Als der ›Pressekrieg‹ im Frühjahr 1937 (anläßlich eines Besuchs in Wien vom Außenminister Neurath) wieder aufflammte, befaßte sich der »Völkische Beobachter« mit drei besonders kritischen Wiener Boulevardzeitungen (»Das Echo«, »Der Telegraf«, »Die Stunde«).[14] Das gab dem Herausgeber von »Sturm über Österreich«, Ing. Franz Bosch, Gelegenheit, zu Anwürfen des »Völkischen Beobachters« über die Verbindung Walter Mehring – »Sturm über Österreich« Stellung zu nehmen. Der »Völkische Beobachter« schreibt:

> Ganz ähnlich wie das katholische Wochenblatt »Sturm über Österreich«, in dem der jüdisch-deutsche Emigrant Walter Mehring im trauten Tete-a-tete mit der emigrierten roten Baronin Scholley sein Gift zu verspritzen pflegt, den Ärger über die scharfe Anprangerung der Verjudung des Wiener Handels im Blatte der jugoslawischen Gruppe »Zhor« mit der Verleumdung Deutschlands abzureagieren suchte, daß dieses mit Hilfe der rollenden Mark den serbischen Chauvinismus gegen Österreich anfeure.[15]

Der Kommentar von Bosch dazu lautete:

> Wir wollen einmal etwas näher auf den hier angegebenen Tatbestand in unserer Redaktion eingehen. Gewiß. Herr Walter Mehring ist dem Verantwortlichen voll bekannt. Desgleichen, daß er ein jüdisch-deutscher Emigrant ist. Geschrieben hat er

im »Sturm über Österreich« aber nicht. Bekanntlich ist Walter Mehring ein Literat und Chansondichter. Seine Chansons werden jedoch nicht nur in Österreich geschätzt. Einzelne seiner Gedichte, wie zum Beispiel das Lied »In Hamburg an der Elbe«, werden in einem Lokal des Berliner Westens ständig gesungen. Vom »Völkischen Beobachter« wurde es vor ungefähr zwei Jahren als ein Beweis dafür zitiert, wie populär Hamburg in Berlin ist. Ich selber habe dieses Lied bei SA. und BDM-Gruppenaufmärschen singen hören. Ein anderes Lied ist »Die kleine Stadt«. Der deutsche Rundfunk hat es vor einem Jahre gebracht. Da man sich aber später doch erinnerte, daß der jüdisch-deutsche Emigrant Walter Mehring eben das ist, wozu ihn das Dritte Reich gemacht hat, wurde ihm kein Honorar ausbezahlt. Der »Völkische Beobachter« kann überzeugt sein, daß Walter Mehring, wenn er im »Sturm über Österreich« geschrieben hätte, auch sein Honorar bekommen hätte und darin mag sich die Praxis des »Sturm über Österreich« seinen Mitarbeitern gegenüber von der des deutschen Rundfunks wesentlich unterscheiden. Ein drittes Lied »Die Maschinen« wurde vor zwei oder drei Jahren im Sportpalast gesungen. Auch da blieb das Honorar aus. (ebda).

Die hier wiedergegebenen Zitate aus dem »Völkischen Beobachter« und dem »Sturm über Österreich« enthalten Widersprüchliches, das zu Klärungen hinsichtlich Mehrings sonstiger schriftstellerischen und journalistischen Tätigkeit in Österreich Anlaß gibt. In einem zur 30. Wiederkehr des ›Anschlusses‹ Österreichs 1968 in München erschienen Buch[16] wird von den Autoren ohne jeden Beleg oder Nachweis behauptet, Mehring sei Mitarbeiter von »Sturm über Österreich« gewesen. Es ist möglich, daß die Anregung zu dieser Feststellung dem oben im Auszug zitierten Artikel des »Völkischen Beobachter« entnommen worden ist. Hier dürfte aber eine doppelte Verwechslung vorliegen. Denn ein *katholisches Wochenblatt* war »Sturm über Österreich«, wie der »Völkische Beobachter« schreibt, nicht, genausowenig war er ein *Heimwehrorgan*. Seinem Selbstverständnis nach war er vielmehr das *aktuelle, radikale politische Wochenblatt gegen Korruption, Bonzentum und Packelei, gegen braunen und roten Bolschewismus, für Christentum und Österreichertum im Sinne des Programms der Ostmärkischen Sturmscharen.* Zu den von deutscher Seite besonders· überwachten österreichischen Presseerzeugnissen gehörten neben dem »Sturm über Österreich« und der gleichermaßen antifaschistisch eingestellten Legitimationswochenzeitung »Der Österreicher« eben »Der Christliche Ständestaat«. Walter Mehring war Mitarbeiter dieser Wochenschrift und schrieb entweder anonym oder unter dem Pseudonym *Glossator*[17]. Auch Mehrings »Müller« wurde im »Christlichen Ständestaat« positiv besprochen:

Müller, Die Chronik einer deutschen Sippe, von Walter Mehring, Verlag Gsur & Co., Wien.

Ein Buch, das einer weder auf österreichischem, noch auf katholischem Boden heimischen, – ja vielleicht allzusehr vernachlässigten Spezies angehört: der des satirischen Romans. Diese Vernachlässigung ist kein Zufall, sondern sie beruht auf einer begründeten Skepsis gegen das nur Negative, das Nicht-Aufbauende. Diese Skepsis ist an sich gesund, aber sie kann auch übertrieben werden, und der Katholizismus deutscher Sprache, zumal in Österreich, befindet sich möglicherweise in der Gefahr der Übertreibung, was sich in einer gewissen sterilen Unlebendigkeit katholischer Publizistik und einer noch gefährlicheren Angst vor der entschiedenen, und sei es negativen Stellungnahme gegen zu negierende Dinge auswirkt, die an dieser Stelle einmal treffend der »Immerhin-Komplex« genannt wurde. Für diesen Komplex ist ein Buch wie das vorliegende von Walter Mehring, geradezu Medizin. Eine Medizin kann ja auch bitter sein und süß und angenehm ist dieser satirische Roman, der die Geschichte einer deutschen Sippe von Tacitus bis Hitler in kurzen, treffend gezeichneten Bildern bringt, sicher nicht. Wir möchten ihn in der Hand vieler Österreicher und Katholiken sehen, – nicht, weil er irgendwie österreichisch oder katholisch wäre (davon ist der Autor trotz vieler gleichlaufender Urteile weit entfernt), sondern weil in ihm Dinge stehen, die für Österreicher und Katholiken gut und gesund zu hören sind. Und zwar nicht nur, obwohl, sondern weil dieses Buch notwendigerweise bei beiden Anstoß erregen muß. Denn dieser Anstoß zwingt zur Auseinandersetzung, – zur Auseinandersetzung mit dem satirischen Weg, einen Feind anzugreifen,im allgemeinen und mit der These dieses satirischen Romans im besonderen. Diese These ist, kurz gesagt, die logische Entwicklungslinie im deutschen Wesen, die schließlich bis zum Nationalsozialismus geführt hat. Daß Deutschtum und Nationalsozialismus nicht dasselbe sind, wissen wir, – aber dieses Buch meint ja nur das Negative, die Schattenseite und zeigt in ihr eine Linie, die Luther und Hitler, Preußentum und Nationalsozialismus in ihren spezifischen Mängeln, Schwächen und Gefahren miteinander verbindet (wobei bemerkt werden muß, daß die Durchführung dieser These für unser Gefühl für Gegenwart, Nachreformationszeit und für das vorchristliche Germanentum weit besser und überzeugender gelingt, als für das christliche Mittelalter). Das Buch will nicht leugnen, daß dieser Schattenseite auch Lichtseiten gegenüberstehen, aber es abstrahiert von ihnen, wozu der Satiriker das Recht hat, um die Kritik desto schärfer herauszuarbeiten. Man kann der Satire ebensowenig Einseitigkeit, Uebertreibung des Negativen, Ueberbetonung einzelner Momente

vorwerfen, wie der Karikatur, denn das ist ihr Wesen. Inner-
halb dieses Rahmens und mit allen weltanschaulichen Vorbe-
halten, – die uns in ihren Konsequenzen manches unter die
»Ahnen« des Nationalsozialismus zählen läßt, das Mehring
nicht dazuzählt, und manches, insbesondere im Mittelalter,
nicht, was er dazurechnet, – muß dieser satirische Roman in
der Küze und Treffsicherheit seiner Darstellung, der beißen-
den Schärfe seiner Ironie und den amüsanten Einfällen, die
gerade in ihrer Zufälligkeit so gut herausarbeiten, was
gemeint ist, – als ein gelungener Wurf bezeichnet werden, ein
Buch, mit dem sich auseinanderzusetzen, jedenfalls lohnt, und
dessen Thesen wir gerade in Österreich allen Anlaß haben,
sehr zu beachten, auch wenn wir zu dem Schluß kommen, daß
sie einseitig und übertrieben sind. Sie bieten, als ein Zeugnis
von der »anderen Seite« sozusagen die Probe aufs Exempel, ob
unsere oft nur gefühlte und instinktmäßige Abneigung gegen
eine gewisse deutschländische Entwicklung berechtigt ist oder
nicht. Mit diesem Buch ist kein Verdikt gegen das Deutschtum
gefällt, – auch nicht in seiner protestantischen und preußi-
schen Form, etwa, weil beide den Nationalsozialismus vorbe-
reitet hätten, sondern dieser ist entlarvt, weil er allen Gefah-
ren und Schwächen des deutschen Wesens, des Preußentums
und der Reformation zum hemmungslosen Durchbruch verhol-
fen hat, ohne sie durch deren Gutes und Positives zu mildern.

(2. Jg., Nr. 51, 22. Dezember 1935, S. 1236)

Kurz darauf richtete Mehring das folgende Schreiben an die Redaktion der Wochenschrift:

AN DIE REDAKTION DES »CHRISTLICHEN STÄNDE-STAATES«

»Man kann der Satire ebensowenig Einseitigkeit, Uebertrei-
bung des Negativen, Überbetonung einzelner Momente vor-
werfen, wie der Karikatur, denn das ist ihr Wesen.«
Schrieben Sie – und Sie meinten meinen satirischen Roman:
»Müller, die Chronik einer deutschen Sippe.« Was Sie wohlwol-
lend ausdrückten, wurde mir von dem Herausgeber einer
linksradikalen Zeitschrift zum Vorwurf gemacht (wie es denn
scheint, daß sich von Tag zu Tag die Begriffe unheilvoller ver-
wirren!). Hätte ich mir nur einmal so scharfe Kritik an Preu-
ßisch-Deutschland erlaubt, wie sie sich in unzähligen Sätzen
der bedeutendsten Deutschen findet: bei Winckelmann, Les-
sing, Goethe, Hölderlin, bei Schopenhauer und Nietzsche und
am zornigsten in den Briefen des Freiherrn von Stein, man
hätte die Verbitterung verstehen sollen. Verbitterung beweist
Anteilnahme; und daß ich mir nicht eine gängige Biographie,
sondern Deutschland zum Thema wählte, sollte Gutgesinnten

31

Beweis genug sein, wie sehr mich der Fall dieses Landes beschäftigt.

Gegen den Vorwurf, »undeutsch« zu sein – schon dieses Wort ist ein Nonsens; denn man ist entweder ein Deutscher oder ein Nichtdeutscher; zwischen beidem, das gibt es nicht! – ich denke nicht daran, mich dagegen zu verteidigen. Der fanatischste Deutschenhasser hätte sich nichts Böseres gegen das deutsche Volk ersinnen können als den »Stürmer«.

Ich verteidige mich aber sogar gegen den Vorwurf, mich der Uebertreibung oder der Einseitigkeit schuldig gemacht zu haben.

Jene Sippe Müller, deren Geschichte ich schrieb, von des Tacitus' Zeit bis ins Dritte Reich, repräsentiert ebensowenig Deutschland wie eine Geschichte des Hauses Bach schon allein Deutschland vorstellen könnte. Die Sippe Müller ist eine ganz bestimmte, klar definierte Kategorie des deutschen Wesens. »Es sind« – ich zitiere das Vorwort: »die Durchschnittsmenschen, die Mittelmäßigen, die geborenen Untertanen, die sich als Versuchskaninchen, für alle Leidenschaften, Launen, für alle Verruchtheiten und Verrücktheiten der jeweils Herrschenden fortpflanzten.« Ein Phänomen wie der Nationalsozialismus bricht nur scheinbar unvorbereitet aus; die Erreger müssen seit langem latent gewesen sein. Indem ich den Tacituslehrer Dr. Armin Müller seine Ahnenreihe auf ihr »Ariertum« überprüfen ließ, spürte ich seinen, mir viel wichtigeren geistigen Vorfahren nach. Ich habe kein Urteil gefällt; ich ließ sie nur ihre eigene Sprache sprechen. Und diese Geschichte des Hauses Müller, die so notwendig in den Nationalsozialismus einmündet, beginnt – für mich – in der Lutherzeit.

Was vorher lag – wie Tacitus seine »Germania«, auf die sich ein gefälschtes germanisches »Brauchtum« zurückleitet, keineswegs aus eigener Kenntnis des Landes, sondern nur nach Berichten germanischer Legionäre geschrieben hat – aus welchen Elementen jene nur vorgeblich deutschen »Heldenepen« entstanden – wie an der Grenze, am limes romanus, sich an der christlichen Kultur des Abendlandes schon wieder heidnische Atavismen zeigten – all diese Streiflichter auf die Vorgeschichte des Hauses Müller sollen nicht die Historie, sondern den Ursprung der falschen und echten Symbole ableuchten, mit denen sich die späteren Generationen herumschleppen.

»Mehr denn je ist die Welt außerhalb Deutschlands geneigt« – ich zitiere das Vorwort: »den Deutschen als ein Wesen von respektgebietender oder abstoßender Rätselhaftigkeit anzusehen. Ein Leser, der auf den Einfall käme, nur die letzten Kapitel der letzten Müller zu lesen, könnte in denselben Fehler verfallen. Er vergißt, daß jedes Volk, wie jede Familie auf ihrem Dachboden einen Haufen muffiger Formeln, Symbole, Abzei-

chen aufgestapelt hat, die auf jeden lächerlich, sinnlos und geschmackswidrig wirken, wenn er nicht zur Verwandtschaft gehört.«

Habe ich übertrieben, als ich bei Luther, diesem gewaltigen und darum um so gefährlicheren Publizisten schon die intellektuelle Urheberschaft bloßlegte; ist nicht ein Vorgeschmack des preußischen Kasernenhofghettos in jenem Aufsatz, der mit den Worten beginnt: »daß Würgen und Rauben ein Werk der Liebe ist?« Bedeutet nicht seine Auslegung vom »leidenden Gehorsam« die Sanktionierung jener Knechtseligkeit, die dem preußischen Untertanen mit dem Korporalsstock eingebläut wurde? Uebertrieb ich mit der Schilderung jener sklavischen Dumpfheit, in der das friderizianische Bürgertum vegetierte, als in allen Ländern ringsum, zumal in Österreich – die Zeitberichte und Lessing als Kronzeuge bestätigen es ohne Ausnahme – die kritische Vernunft und die Freiheit des Denkens in Ansehen standen? Aeußerten sich nicht im Jahnschen Teutonentum und Wotanskult, vor denen schon Metternich mit Recht gewarnt hat, die Vorläufer der Maskenball-Germanen? Konnte ich überhaupt noch übertreiben, als ich den letzten Müller, den Tacituslehrer, so tragisch an seinem Sippenwahn zugrunde gehen ließ?

Dieser »Don Quichotte des Rassenwahnes«, Franzosenfresser und Ultrachauvinist, endet in der Pariser Emigration. Es liegt mir fern, den sublimen Begriff der Nation (den uns Frankreich gelehrt hat) herabzuseten; noch weniger läge es mir, den Begriff Heimat, der einer ganz anderen Kategorie angehört, der in nichts sich mit der Nation deckt, zu »zersetzen«; und wenn mir eine gewisse Sorte »Patriotismus« verdächtig dünkt, so ist schuld daran eine »gewisse Sorte Patrioten«. Aber daß es etwas Höheres gibt als Nationalismus, das können gerade Katholiken nicht ableugnen; und in der Anerkennung von etwas Höherem, das die Menschen zur Gemeinschaft bringt, sollten sie sich einig sein mit allen, die noch geistige Werte anerkennen.

Darf ich mich auf einen anderen Satz Ihrer Kritik berufen: »Mit diesem Buch ist kein Verdikt gegen das Deutschtum gefällt.« Für diesen Satz danke ich Ihnen. Dieses Buch, wie alles, was ich in der Emigration schrieb, war nur der Protest gegen jene, die Streicher und Streichers ungeistige Ahnen mit Deutschland identifizieren wollen.

Walter Mehring.

(3. Jg., Nr. 2, 12. Jänner 1936, S. 52)

Mehrings journalistische Tätigkeit in Österreich war der sonst gutinformierten Preßpolizei in Wien, wie wir gesehen haben, nicht bekannt. Das Redaktionsgeheimnis hat also zumindest in Österreich funktio-

niert. Den deutschen Stellen (s. Ebneth) war Mehrings Mitarbeit beim
»Christlichen Ständestaat« offenbar aber kein Geheimnis. Wir müssen
also davon ausgehen, daß der »Völkische Beobachter« die beiden
Wochenblätter verwechselt hat, daß Franz Bosch die Wahrheit sagte,
als er schrieb, Mehring habe im »Sturm« nicht geschrieben, und offen
lassen, ob Mehring eventuell unter einem Pseudonym geschrieben
haben könnte, das Bosch – um Mehring nicht einer Gefahr von deutscher wie von österreichischer Seite auszusetzen – nicht preisgab.
Während seines Aufenthalts in Wien in den Jahren 1934 bis 1938 war
Mehring offensichtlich nicht immer polizeilich angemeldet. Während
der Polizei bekannt war, daß Mehring seit dem 1. Februar 1935 im
Hotel »Fürstenhof«, Wien 7, Neubaugürtel 4 gegenüber vom West-
bahnhof wohnte, kennt das Meldeamt bloß eine einzige Meldung, und
zwar vom 21. 2. bis 26. 5. 1936 im selben Hotel. [18]
Räumt's die Leichen weg! Ich kann die Schlamperei net vertragen!
schrieb Mehring echt wienerisch einmal in »Wir müssen weiter«, und
wie immer, wenn der Autor zitiert, hat er nicht die Wirklichkeit im
Kopf, sondern die Wahrheit, *seine* Wahrheit, die Wahrheit des Dichters, der sich ein *Bild* macht von seiner Gegenwart.

1 Walter Mehring: »Wir müssen weiter. Fragmente aus dem Exil«. Herausgegeben und mit
einem Nachwort von Christoph Buchwald, Düsseldorf 1979, S. 27. — 2 Dieser Paragraph
besagt, daß, wenn auf Antrag des Anklägers (Staatsanwalt oder Privatkläger) das
Gericht die Beschlagnahme eines Druckwerkes wegen eines als strafbar bezeichneten
Inhalts anordnet, es anzugeben hat, welche Stelle den strafbaren Inhalt ergebe und welche
strafbare Handlung sie begründe. — 3 Zitiert nach dem »Antrags- und Verfügungsbogen.«
In: Akt Landes-Gericht für Strafsachen Wien I, 26c Vr 4549/34. Deponiert im Wiener Stadt-
und Landesarchiv. Alle weiteren Zitate sind diesem Akt entnommen. § 303 St.G.: »Beleidi-
gung einer gesetzlich anerkannten Kirche oder Religionsgesellschaft.« — 4 Hertha Pauli:
»Der Riß der Zeit geht durch mein Herz. Ein Erlebnisbuch«. Wien/Hamburg, 1970. — 5 Der
Verlag Gsur & Co. wurde am 14. März 1930 unter Reg. A 73, 142 ins Wiener Handelsregister
eingetragen. Im folgenden Monat schied Frl. Gusti Gsur aus der Firma aus, und Winter
führte das Unternehmen allein weiter. Die Verlagsproduktion gliedert sich in zwei Phasen:
1930 bis 1933 und 1935 bis 1936. Die Publikationen verfolgten nach Winter drei Linien: die
soziale, die österreichische und die antinationalsozialistische. Die Verlagstätigkeit wurde
im Oktober 1936 eingestellt, als ein Beiheft zu den »Wiener Politischen Blättern« polizeilich verboten wurde. Die Firma wurde allerdings erst am 17. Oktober 1939 aus dem Handelsregister gelöscht. — 6 »Kleine Reminiszenz an die Schicksale dieses Buches ursprüng-
lich betitelt Müller Chronik einer deutschen Sippe«, Hannover 1960, bzw. Walter Mehring
Werke. Herausgegeben von Christoph Buchwald, Band I, Düsseldorf 1978. — 7 3. Jg.,
Nr. 5, Wien, 13. Oktober 1935, S. 227 f. Die amtliche »Wiener Zeitung« kündigte das Buch
schon am 23. September 1935 an. — 8 Österr. Staatsarchiv, Haus-, Hof- und Staatsarchiv
(im folgenden: HHSta), Neues Politisches Archiv (im folgenden N.P.A.), Karton 119, BKA
35.496/13-1936. Am darauffolgenden Tag richtete Papen eine zweite Verbalnote gegen *das
als Roman bezeichnete Buch »Unsere Töchter, die Nazinen« von Hermynia Zur Mühlen. Die
Gründe für den Protest und für die Bitte um Strafmaßnahmen (. . .) gegen die für die
Herausgabe des Buches verantwortliche Person* und Veranlassung einer Beschlagnahme
bzw. eines Vertriebsverbots: Es handele sich um ein Buch, *das außer dem die nationalso-
zialistische Bewegung im Reich verleumdenden und verunglimpfenden Gesamtinhalt in
zahlreichen Stellen schwere persönliche Beleidigungen des Führers und Reichskanzlers
Adolf Hitler, von Mitgliedern der Reichsregierung und auch herabsetzende Bemerkungen*

über den deutschen Gesandten von Papen enthält. Alle beleidigenden Stellen wurden von Papen genauestens angeführt. Diesem Ersuchen wurde auch z. T. entsprochen. Ein Verbot wurde ausgesprochen, aber nicht nur, weil Nazi-Bonzen beleidigt worden wären. Nach näherem Studium der Materie in der Generaldirektion für die öffentliche Sicherheit stellte man nämlich fest, der Roman trage *eine ausgesprochen marxistische, ja kommunistische Tendenz.* Quelle: HHSta, N.P.A., Karton 118, BKA 40.748/13-1936. Gegenstand: »Unsere Töchter, die Nazinen«, Roman von Hermynia Zur Mühlen. — **9** Die hier erwähnten Notizen im »Völkischen Beobachter« ließen sich trotz intensiver Suche in den Berliner und Norddeutschen Ausgaben nicht finden. Quelle: Österreichisches Staatsarchiv, Abt. Allg. Verwaltungsarchiv (AVA), 22 gen, BKA (Gendion), Ges.zl. 301.015-St.B.-G.D. 36. — **10** Siehe Anm. 8. — **11** Jg. 3, Folge 36/37, So., 22. Dezember 1935, S. 8. — **12** 77. Jg., Nr. 3, 25. Jänner 1936, S. 16. — **13** Der Zeuge war Dr. Viktor Matejka, seinerzeit Bildungsreferent der Wiener Arbeiterkammer und nunmehr (erster) kommunistischer Stadtrat für Kultur in Wien nach dem Krieg. Siehe: »Der Hochverratsprozeß gegen Dr. Guido Schmidt vor dem Wiener Volksgericht«. Wien: Druck und Verlag der Österreichischen Staatsdruckerei, 1947, S. 276. Matejka irrte hier. »Unsere Töchter, die Nazinen« wurde z. B. schon im Februar 1936 verboten, also vor dem Juli-Abkommen. — **14** Siehe »Völkischer Beobachter«, Berliner Ausgabe, 50. Jh., 78. Ausgabe, Fr., 19. 3. 1937. — **15** Zitiert nach »Sturm über Österreich«, Folge 12, So., 23. März 1937, S. 2. Trotz intensiver Suche in der Berliner Ausgabe des »Völkischen Beobachters« war eine entsprechende Notiz nicht zu finden. — **16** Dieter Wagner/ Gerhard Tomkowitz: »Ein Volk, ein Reich, ein Führer! Der Anschluß Österreichs 1938.« München 1968, S. 149. — **17** Rudolf Ebneth: »Die österreichische Wochenschrift ›Der christliche Ständestaat‹. Deutsche Emigration in Österreich 1933–1938.« Mainz 1976, S. 54. (= Veröffentlichungen der Kommission für Zeitgeschichte, Reihe B: Forschungen Band 19). Zur Presseüberwachung der Nazis in Österreich, s. ebda., S. 230 ff. Ebneth übernimmt (S. 54) die Behauptung über Mehrings Mitarbeiterschaft beim »Sturm« von Wagner/Tomkowitz, S. 149. — **18** Meldeauskunft der M.A. 8, Wiener Stadt- und Landesarchiv, zu Mehring vom 3. XI. 1981. *Es konnte ha. keine Meldung vor 21. 2. 1936 ermittelt werden.* Als ›ordentlicher Wohnsitz‹ wurde Paris angegeben.

Uwe Naumann

Herrlichkeit von Pappe

Über Walter Mehrings antifaschistische Satire »Müller«[1]

Ein neues beziehungsreiches farbiges Bild der Menschen- und Erdengeschichte beginnt sich heute zu enthüllen, wenn wir ehrfürchtig anerkennen, daß die Auseinandersetzung zwischen Blut und Umwelt, zwischen Blut und Blut die letzte uns erreichbare Erscheinung darstellt, hinter der zu suchen und zu forschen uns nicht mehr vergönnt ist.

Alfred Rosenberg[2]

Allein die Idealisten, Satiriker und Nörgler, die wilden Buchmacher ohne poetische Lizenz verderben uns die Ernte. Vergeblich zauberte man um sie üppigen Wohlstand, goldene Berge mit bequem gelegenen Aussichtspunkten auf herrliche Zeiten, Gemeinplätze mit Freiheitsstatuen, vergeblich! Sie gingen daran vorüber, hinter die Kulissen! Bemerkten, daß die ganze Herrlichkeit von Pappe war, daß der Staub fingerdick lag, daß die Heldenperücken mottig geworden und die Darstellerin der Wahrheit heftig geschminkt schien. Und nun machen sie ihrer Enttäuschung Luft und schimpfen über die Zustände. Man möchte sagen, es handle sich hier um schweren Illusionsraub.

Walter Mehring[3]

Als Walter Mehring in der Nacht des Reichstagsbrands im Zug von Berlin nach Paris flüchtete, von Freunden über seine unmittelbar bevorstehende Verhaftung informiert, entkam dem Zugriff der braunen Henker einer ihrer frühesten und sprachgewandtesten literarischen Widersacher. Schon 1922 hatte Mehring in der »Weltbühne« sein Gedicht vom »Rattenfänger von Hameln« veröffentlicht, in dem er einen lederverkleideten Verführer sich als irdischen Erlöser aus allen Übeln anbieten läßt:

Kommt hervor aus Kalk und Schiefer,
Kommt aus Reichstag und Cafe,
Allerliebstes Ungeziefer,
Daß ich euch bei Licht beseh!
*   Alles, was da kreucht und fleucht,*
Kommt hervor! Ich führe euch
Zum Schlaraffenland, dem guten:
Pöbelherrschaft, Zarenknuten!
*   Schon steht mein Autobus bereit*
Und ich am Führersitz der Zeit.[4]

In den folgenden Jahren sezierte Mehring in Gedichten und Liedern immer wieder Aspekte der Faschisierung der bürgerlichen Republik von Weimar. Seine Lyrik der 20er und frühen 30er Jahre kritisiert Fememorde der politischen Rechten ebenso wie bewaffnete Aufzüge von Hakenkreuzler-Banden, er schreibt Verse über Kriegsgewinner und Waffenhändler. Und er porträtiert ein knappes Jahr vor dessen Machtantritt Hitler persönlich, den er im Berliner Hotel Kaiserhof tee-trinkend sah – *Der Wunder-Attentäter! Mittelstandsheiland! Den Kopf im Mythos! Knöcheltief durchs Blutmeer der Verräter zum Rasse-Eiland!*[5]

Mehring hat die Nazis gehaßt und verachtet, und sie haben seinen Haß mit ihren Mitteln erwidert. Piscators Inszenierung von Mehrings Stück »Der Kaufmann von Berlin« 1929 beantwortete die extreme Rechte mit Störaktionen und einer Pressekampagne. Sylvester 1932/33 verkündete Goebbels, er werde sich nach dem Machtantritt seiner Partei *den Mehring mal persönlich vorknöpfen*[6], und er bekräftigte diese Drohung 1933 öffentlich auf der Titelseite des »Angriff« unter der Überschrift »An den Galgen!«[7] Mehring hat nicht gewartet auf den Besuch der Faschisten.

Im erzwungenen Exil – ab Sommer 1934 in Wien – schreibt er weiter gegen die Nazis. Was ihm, dem humanistisch gebildeten Weltbürger, mit am bittersten aufstoßen mußte, war die Rassenlehre der Faschisten. Im Juli 1934 erscheint in Klaus Manns »Die Sammlung« Mehrings Aufsatz »Germanische Emigranten«. Das ist nicht weniger als der polemische Nachweis, daß sich die Germanen in ihrer Geschichte immer schon *mit fremdartigsten Rassen verrührt* haben, daß sie von stetem Wandertrieb geprägt und überall *ihre Spuren kaum mehr als Verwüstung* gewesen sind.[8] Kenntnisreich und spöttisch wendet Mehring die falschen Heroisierungen germanischer Geschichte seitens der Nazis um in eine durchgängige Linie der Bastardisierung, Vandalisierung und Rückständigkeit. Der Essay gipfelt in einem Zitat aus Hitlers »Mein Kampf«, dort auf Juden bezogen, von Mehring aber genüßlich als Urteil über den Arier herangezogen: *Sein Sich-Weiterverbreiten aber ist eine typische Erscheinung für alle Parasiten; er sucht immer neuen Nährboden für seine Rasse (. . .).*

Der Aufsatz ist Programm für eine andere Arbeit: den Roman »Müller«, der 1935 im Wiener Gsur-Verlag erscheint. Diese »Chronik einer deutschen Sippe« ist ein Mehringsches Anti-Nazi-Geschichtsbuch des Germanentums. Vom Jahre 90 bis in die Gegenwart (1935) läßt Mehring einen nazi-getreuen Berliner Oberstudienrat, Dr. Armin Müller, die Ahnengeschichte seiner Sippe aufschreiben. Was dabei herauskommt: *Jeder Müller, vom Ersten bis zum Letzten seines Stammes, hat stets den Anschauungen seiner Zeit gehuldigt. Keiner von ihnen ist verantwortlich für seine Taten und Worte. Aus jedem spricht nur jene Meinung, die die Regierenden ihren Untertanen zubilligten.*[9] Der gesamte Roman ist eine von der Fabulierfreude und den historischen Detailkenntnissen seines Autors getragene Illustration dieser These.

In der Form des historischen Romans gewinnt »Müller« antifaschistische Qualitäten in zweifacher Hinsicht:

- zum einen als durchgängige implizite Polemik gegen die faschistische Klitterung der Geschichte der letzten 2000 Jahre, also gegen einen zentralen Bereich der ideologischen Offensive der an die Macht gelangten Nazis – nur wer die BluBo-Versionen von Historie ständig gegenwärtig hat, wird heute noch den ganzen Lektürenspaß und die Vehemenz von Mehrings satirischem Angriff erleben;
- zum anderen als historischer Erklärungsversuch für die massenhafte Unterstützung oder zumindest Duldung der Nazi-Herrschaft durch das deutsche Volk – wobei Mehrings Antithese gegen die pauschale Heroisierung der Arier bei den Nazis nicht eben differenziert ausfällt: die Behauptung, daß die Deutschen seit jeher Untertanen, Bastarde, Kriecher waren, reduziert die Erklärung der faschistischen Massenbasis so unzulässig, wie es kein Theoretiker darf.

Georg Lukács hat in seiner Analyse »Die Zerstörung der Vernunft« bekanntlich die deutsche Sonderentwicklung beschrieben, einsetzend mit der Niederlage der fortschrittlichen Kräfte im Bauernkrieg. Die historische Untersuchung der *deutschen Misere* ist bei Lukács eine differenzierte Entfaltung der konkreten Kräftekonstellationen in verschiedenen Phasen der deutschen Geschichte, und sie erweist den Hitlerfaschismus als folgerichtige *Krönung* einer langen Entwicklungslinie. Wo Lukács aber soziale Kräfte, politische Ideen und reale Entwicklungen sorgfältig seziert, ist bei Mehring nur ein grober Leisten vorhanden: das Geschichtsbild vom ewigen Deutschen, der seine Fahne immer in den Wind hängt.

Aber wir sprechen ja von einer Satire, und die muß bekanntlich ungerecht sein. Mehrings Chronik erweist sich als freizügige Montage: er führt die fiktiven Müllers aller Zeiten immer wieder zusammen mit realen geschichtlichen Personen. So entsteht auch eine Demontage von Idolen und Kronzeugen der faschistischen Geschichtsschreibung. Indem Mehring nämlich die von den Nazis überhöhten Figuren der deutschen Geschichte in die Handlungsräume der kleinen Müllers plaziert, erniedrigt er die Heroen und zeigt sie mit ihrem alltäglichen Gesicht in Schwäche und Häßlichkeit.

So macht Mehring schon im ersten Kapitel den Leser mit einem *Germanisten* des alten Rom bekannt, der unter Kunden und Bediensteten in einem römischen Bordell die Gesprächspartner für seine Studien findet. Die friesische Lustdame Thusnelda und der aus Ubien stammende, in römischen Diensten stehende Söldner Millesius, erster Müller der Chronik, werden seine Informanten, die dem gutbezahlenden Herrn, Tacitus sein Name, erzählen, was er nur hören will. Tacitus, dessen »Germania« bekanntlich in ihrer positiven Überhöhung germanischer Bräuche bei den Hitlerfaschisten als Quelle ihrer

Kultlegenden hochgeschätzt war, hat bei Mehring seine *Kenntnis germanischen Wesens einzig aus diesen Gesprächen* mit den beiden gefügigen Germanen. Hehre germanische Tugenden werden auf ganz weltliche Ebenen zurückgeführt: *Als ihm der Römer* (Tacitus, U.N.) *schließlich die peinlichste Frage stellte, warum er* (Millesius, U.N.), *ein Freigeborener, sich habe so willig in die Sklaverei führen lassen, versetzte er, harmlos erstaunt, man müsse beim Würfelspielen doch jeden Einsatz, auch den der Freiheit, zahlen; und daß seine Landsleute diese Einlösung der Spielschuld als ›germanische Treue‹ bezeichneten.*[10]

Es lohnt sich, an diesem einen Satz beispielhaft zu entwirren, wie Mehrings Spottkübel sich in »Müller« auf mehreren Ebenen über die Nazis ergießt. Er kumuliert eine ganze Serie von Verhöhnungen:

- Tacitus treibt Quellenstudien im Bordell,
- wo eine Germanin Dienst tut,
- und ein Germane, der den Römern dient, als Kunde verkehrt,
- dessen Landsleute dem Würfelspiel frönen
- und für Spielschulden jederzeit die Freiheit aufgeben,
- dies dann mit dem Begriff *Treue* verklären.

Weder keusch noch frei noch tapfer noch treu – in tiefstem Maße dekadent führt Mehring die Germanen seinen Lesern vor.

Besonders nachdrücklich schreibt Mehring gegen die Heroen der preußischen Staatsgeschichte an. Die Glorifizierung etwa von Friedrich Wilhelm I. als *Gleichnis für bürgerliche Ehrenhaftigkeit und sich selbst beschränkende Klugheit* (Rosenberg[11]) provoziert Mehring zu einem vehementen Gegenentwurf. Darin erscheint derselbe Herr dann als *Schrecken der ganzen Heimat*, der bei einem Appell dem *Langen Kerl* Dieter Müller gegenübertritt. Dieter sieht *einen feisten Wanst auf O-Beinen, wasserblaue Triefaugen, weinrote Hängebacken, einen Schweinsrüssel unter einer Kolbennase.*[12]

Von Friedrich dem Großen, *Symbol alles Heroischen* (Rosenberg[13]), weiß Mehring gar zu berichten, er habe als Kronprinz *mit Frankreich gegen den Vater konspiriert* – ausgerechnet mit dem ›Erbfeind‹[14]. Dieter erinnert Fridericus Rex als *einen affektierten, hinterhältigen Prügelknaben,* über den die Berliner *nichts als Schimpfereien* erzählen. An Müllers Schenke hängt eines Tages denn auch ein Pasquill, in dem Friedrich ein *blutsaugerischer Tyrann* genannt und ihm der Tod gewünscht wird.[15] Massiver kann man faschistischen Preußenkult kaum unter der Gürtellinie treffen. Wie auf Mehring gemünzt liest sich denn auch Rosenbergs Drohung von 1930 – aber sie ist 5 Jahre vor »Müller« erschienen: (. . .) *als ein ganz erbärmlicher Schuft erscheint uns heute ein Deutscher, der die Gestalt des Friedericus mit hämischen Glossen zu verfälschen trachtet.*[16]

Seine *hämischen Glossen* haben dem *erbärmlichen Schuft* Mehring nicht zuletzt die Ausbürgerung aus Deutschland eingebracht. Sie wurde am 11. 6. 1935 bekanntgegeben (Deutscher Reichsanzeiger und

Preußischer Staatsanzeiger Nr. 133), auf einer Liste gemeinsam mit u. a. Bertolt Brecht, Nahum Goldmann, Rudolf Hilferding, Erika Mann, Erich Ollenhauer und Friedrich Wolf[17]. Der Vorgang geht zurück auf einen Antrag der Gestapo Berlin vom 7. 12. 1934, in dem es heißt: Mehring *ist radikaler Kommunist. Er gibt sich jedoch in seinen Schriften als Verfechter gemäßigter kommunistischer Ideen und wirkt deshalb besonders gefährlich (...).* Als Mitarbeiter des »Neuen Tage-Buches« habe er *in beinahe ununterbrochener Folge kurze Artikel, Glossen zur Zeitgeschichte und Gedichte veröffentlicht, in denen er sich stets über innerdeutsche Verhältnisse und Ereignisse, aus kommunistischem Gesichtswinkel gesehen, in teils versteckter, teils offener, gehässiger Weise verbreitet. (...) U. a. ist in der Nummer 26 des »Neuen Tagebuches« (sic) ein Artikel von ihm erschienen, in dem er sich über die neue Geschichtsauffassung des deutschen Volkes belustigt und den er »Karl der Große« überschrieben hat. Er greift hier unter anderen Alfred Rosenberg an, kritisiert in übler Art dessen »Mythos des 20. Jahrhunderts«.*[18]

In »Müller« sind die hämischen Glossen gegen die NS-Geschichtshelden ein Teilergebnis von Mehrings historischem Bilderbogen. Die zweite Linie des satirischen Angriffs richtet sich gegen die Müller-Sippe selbst. Aus der Vielfalt der Schicksale und Episoden mit den Millesius, Müliberts, Molitors, Müllers kristallisieren sich drei Grundzüge heraus – Charakteristika einer deutschen Familie, die dann so folgerichtig den Faschisten zujubelt.

Die Geschichte der Müllers erweist sich erstens als eine durchgängige Folge von Liebesabenteuern, die zu einer immer wieder variierten Völker- und Rassenvermischung führen. Mehring, für den nach eigener Aussage *das Erotische gewiß immer der Antrieb war*[19], entwirft eine Chronik von triebbestimmten, brünstigen Menschen, ein radikales Anti-Buch gegen die Nazi-Legende von arischer Rassenreinheit und Keuschheitsvorliebe. Da sind etwa im 8. Jahrhundert die drei Brüder Mülobold, Mülobrand und Mülobrad scharf auf Illitza, die schöne Slawin, Tochter eines sorbischen Schweinezüchters. Erfolg bei Illitza haben freilich zunächst nur die Nachstellungen von Mülibert, dem Vater der drei. Am Ende gewinnt aber doch der thumbe Mülobrad Illitza zur Frau, die ihm elf Kinder gebiert und dann bei einem Normannenüberfall vergewaltigt und so ein weiteres Mal geschwängert wird. In solchen jähen Familien- und Völkervermischungen vollzieht sich die gesamte Müller-Geschichte – ein Folge von Liebesgeschichten, Seitensprüngen, Vergewaltigungen, Kindsverwechslungen, zumeist verknüpft mit der spießergemäßen Doppelmoral, die die eigene Sinnenlust versteckt und verdrängt.

Als zweites übergreifendes Merkmal erweist sich eine kontinuierliche Verquickung der Müllers mit Juden, die immer wieder ihren Weg kreuzen. So leben Jonathan Müller und die Seinen im 19. Jahrhundert in häuslicher Nachbarschaft mit den Itzigs, *deren ältester Sohn in der Schlacht bei Waterloo verwundet und mit dem Eisernen Kreuz ausge-*

zeichnet worden war.[20] An einem der Triumphe deutscher Geschichte läßt Mehring also Juden teilhaben. Und Jonathans Sohn Hagen läßt sich heimlich von Leopold Itzig bei den Schularbeiten helfen. Später dann schmiert Jonathans 1847 geborener Enkel Hugo an die Wohnungstür der inzwischen getauften Hitzigs: *Dreckiger Jude!* Als Hugo jedoch die reiche Dora Kruschen heiratet, ist er sich nicht zu schade, bei Hitzigs um Rat zu fragen nach Anlagemöglichkeiten. Hitzig hilft in diesen Gründerjahren, und Hugo anerkennt beim Abendbrot mit der Gattin: *Dolles Volk, diese Juden!*[21] Der jüdsche Ratschlag zahlt sich wirklich aus, Hugo besitzt bald ein ganzes Häuserviertel. Und er kann sich auf Müllersche Art bedanken: indem er Hitzig die Wohnung kündigt, nachdem er das Mietshaus kurzerhand aufgekauft hat. Mehring demonstriert am historischen Beispiel die doppelbödige Struktur faschistischen Judenhasses: von den Kenntnissen und Leistungen der Juden profitiert man, um im nächsten Moment die eigene Macht willkürlich gegen den Ratgeber und Helfer zu wenden.

Dieses Verhaltensmodell läßt sich verallgemeinern zum dritten Kennzeichen der Müllers aller Zeiten: sie sind immer zugleich Untertanen und Unterdrücker, sie bleiben Radfahrer – von oben getreten werden, sich ducken, um im nächsten Moment den Tritt nach unten weiterzugeben. Um des eigenen Vorteils willen verstellen sich die Müllers, lügen und täuschen: identitätslose Wesen.[22] Der Familienstolz der Müllers, wie ihn Hugo seinem Sohn Armin gegenüber zu Zeiten Kaiser Wilhelms II. aufzählt, ist *Herrlichkeit von Pappe: »Sieh den an!« sagt Vater Hugo in seinem Rollstuhl und deutet mit dem Krückstock auf den ›langen Kerl‹ (. . .) »Und den, der in Lützows Scharen focht! Und hier den Ring, den der Schwedenkönig einem tollkühnen Müller nach der Demütigung Österreichs an den Finger gesteckt!«*[23] Der aufmerksame Leser von Mehrings Chronik kennt die Wahrheit. Das angebliche Bildnis des *langen Kerls* Müller, auf das Hugo so stolz verweist, hatte einst *ein verschuldeter Schustergeselle nach einer Amateurmalerei Friedrich Wilhelms I. kopiert*[24]. In Lützows Scharen der Befreiungskriege focht keiner der Müller-Sippe, der vorgebliche Lützower Hermann mußte vielmehr heimlich nach Amerika auswandern, weil er seine Schulden bei einem jüdischen Gläubiger nicht zahlen konnte. Und der hochgelobte Ring stammt tatsächlich von einem israelitischen Dienstherrn, der ihn seinem thumben, treuen Diener Mülobrad geschenkt hatte. Ganz romanimmanent ist es also möglich, die Lügen und Verfälschungen der Müller-Ideologie zu durchschauen, zwischen Schein und Sein zu trennen.

Die Sippengeschichte endet mit Dr. Armin Müller, erzreaktionärem Lehrer am Kgl. Wilhelms-Gymnasium Berlin. Selbst erzogen im Geiste Bismarcks, wird dieser letzte Müller ein deutschtümelnder Professor Unrat, der mit seinen Schülern im Hochmoor Krieg spielt, Tacitus über alles verehrt und folgerichtig schon 1931 in die NSDAP eintritt. In den 20er Jahren zieht Armin Müller mit seinem *Bund der Teutoburger* mitten durch Berlin, kostümiert wie ein Spuk aus dem alten Germanien: *mit getigerten Fellen bedeckt, mit gehörnten Helmen geschmückt, die Füße in Sandalen, in Händen Kurzspeere*[25]. Die Prozession tanzt mit rauem Männergesang um ein Feuer – grotesk übersteigerte Szenerie, die Mehring ausdrücklich als zu verallgemeinerndes Bild der sich anbahnenden Nazi-Herrschaft kennzeichnet: *Rings um das ahnungslose Berlin, das mit Weltstadtallüren und Europäertum protzte, wuchs der alte germanische Urwald hervor*[26]. Der Hitlerfaschismus als kaum glaubliche Regression gegenüber allem Fortschritten und allen Einsichten der Menschheitsgeschichte, gegen *den ganzen Unfug von Humanität und Menschenrechten*[27] – so hat nicht nur Mehring in den ersten Jahren nach 1933 die Nazi-Herrschaft empfunden und charakterisiert.[28] Mehring fügt in dieses Bild, die Schlüsselszene des Romans, noch weitere symbolhafte Bausteine ein: *Das Schauspiel hatte eine Menge Ausflügler und elegante Nachtschwärmer in ihren Autos herbeigelockt. Ein Schutzpolizist stand unschlüssig dabei, im Zweifel, ob die Veranstaltung gegen irgendein Polizeireglement verstoße. Um das verendende Weihefeuer schallte ein rauher Männergesang, als aus dem Garten eines benachbarten Dancings die Scheinwerfer aufflammten und eine tolle Jazzband einen American Song intonierte, der den germanischen Spuk mit einem Schlage fortblies (. . .)*[29] Die Menge schaut zu. Die Polizei greift nicht ein. Und die politische Vision Mehrings – vom Ende der Nazis – 1935 geschrieben! – ist verblüffend eindeutig: durch ein amerikanisches Lied übertönt, hinweggefegt!

Die politischen Führer des deutschen Faschismus kommen in »Müller« nicht ins Bild. Mehring hat sie in jenen Jahren in anderen Genres satirisch attackiert, in Gedichten und Glossen vor allem, auch 1937 in seinem gleichnishaften Roman »Die Nacht des Tyrannen«. In dem brillant parodierenden Gedicht »Haithabu«[30] etwa erzählt Mehring die Aktionen der Nazi-Führer als *kühner pimpfe strite,* beschreibt die *Rasselbande* der Faschisten: *Yngling Gudröd* auf dem Bärenfell als Herrscher, dessen Helfer *Hjalmar in hohlem Schacht, Joseph der redebäre, Hermann mit Spangen viel.* Der Angriffspunkt solcher Texte entspricht dem vieler zeitgenössischer operativer Satiren, aber auch dem der im Reich kursierenden antifaschistischen Flüsterwitze: die Nazi-Führer als Personen mit ihren Eigenarten (z. B. Görings Ordens-Tick) werden lächerlich gemacht. In »Müller« dagegen hat sich Mehring interessiert für die Mittelmäßigen, die die Herrschaftspraxis der *Rasselbande* erst möglich machten. Den *ewigen Spießer,* der hier Müller heißt, zu attackieren, war Walter Mehrings erstes Ziel – ihn hat er nach dem Zweiten Weltkrieg als *seinen wichtigsten Feind* bezeichnet.[31]

In der virtuosen Vehemenz des satirischen Angriffs auf diesen Feind wird man einen guten Teil der literarischen Bedeutung Mehrings sehen können, auch über seine Lebenszeit hinaus – und in der Verabsolutierung des Spießers als Schlüsselbegriff seines Geschichts- und Gesellschaftsbildes liegen zugleich Grenzen seiner Literatur, weil der Zugang zur Wirklichkeit über diesen Weg notwendig unscharf bleiben mußte.

1 Der Aufsatz entstammt dem Kontext einer größeren Arbeit über antifaschistische Satiren 1933–1945, die 1983 im Röderberg-Verlag, Frankfurt/M., erscheinen soll. — 2 Alfred Rosenberg: »Der Mythus des 20. Jahrhunderts«, zuerst 1930, zitiert nach der 47.–48. Auflage, München 1935, S. 23. — 3 Walter Mehring: »Chronik der Lustbarkeiten«, Düsseldorf 1981, S. 234. — 4 Ebd., S. 231. — 5 Ebd, S. 404. — 6 So Mehring im Gespräch mit Peter K. Wehrli, in: »Süddeutsche Zeitung«, 6. 5. 1976. — 7 Vgl. Thilo von Uslar: »Euch zum Trotz«, in: »Die Zeit«, 30. 4. 1976. — 8 Walter Mehring: »Germanische Emigranten«, in: »Die Sammlung«, 1. Jg. 1934, Heft XI, S. 605–611. — 9 Walter Mehring: »Müller – Chronik einer deutschen Sippe«, Düsseldorf 1978. Ich zitiere nach dieser Ausgabe, die freilich von der Erstausgabe des Romans abweicht. Zur Neuausgabe von »Müller« 1971 im Fackelträger-Verlag hat Mehring nicht nur einen zweiseitigen, gegen die DDR gewendeten Anhang hinzugefügt. Er hat auch – ohne dies kenntlich zu machen – die Schlußabsätze des letzten Kapitels umgeschrieben. In der Erstausgabe von 1935 sowie in der zweiten Ausgabe von 1960 hatte Mehring ein Cervantes-Zitat an den Schluß gestellt, Armin Müller mit Don Quijote analogisiert. 1971 und in der Werkausgabe von 1978 dagegen interpretiert Mehring den letzten Müller als Michael Kohlhaas. — 10 »Müller«, a.a.O., S. 21. — 11 »Der Mythus des 20. Jahrhunderts«, a.a.O., S. 200. — 12 »Müller«, a.a.O., S. 200. — 13 »Der Mythus des 20. Jahrhunderts«, a.a.O., S. 200. — 14 »Müller«, a.a.O., S. 127. — 15 Ebd., S. 150. — 16 »Der Mythus des 20. Jahrhunderts«, a.a.O., S. 200. — 17 Es ist eine Fußnote wert, am Beispiel der Ausbürgerung auf eine Eigenart Mehrings hinzuweisen. Er hat nämlich selbst das Datum der Ausbürgerung verdunkelt: in »Wir müssen weiter« (Düsseldorf 1979, S. 7) behauptet er, 1934 ausgebürgert worden zu sein. Mehring hat stets – ein Satiriker in Person – zu Übertreibungen und erfundenen Geschichten geneigt, auch was seine eigene Biographie angeht. Freunde bestätigen das, so etwa George Grosz in einem Brief an Brecht 1934: *Well, Mehring hatte schon furchtbare Greuellegenden um Dich gewoben (. . .).* (George Grosz: »Briefe 1913–1959«, Reinbek 1979, S. 196). Hertha Pauli erzählt, Mehring habe wegen seiner phantastischen Übertreibungen den Spitznamen *meringues* bekommen – den Namen eines Schaumgebäcks . . . (Hertha Pauli: »Der Riß geht durch mein Herz«, Wien und Hamburg 1970, S. 37). — 18 Politisches Archiv des Auswärtigen Amtes Bonn, Akten des Referats Deutschland, Inland II A/B, Geschäftszeichen 83–76. — 19 Gespräch mit Wehrli 1976, a.a.O. — 20 »Müller«, a.a.O., S. 176. — 21 Ebd., S. 203. — 22 Der Identitätsmangel der Mehringschen Müllers erweist sich als eine spezielle Variante innerhalb der antifaschistischen Satiren auch anderer Künstler. Viele dieser Satiren entlarven den Faschismus als Herrschaftssystem, in dem die Herausbildung und das Ausleben einer gesunden menschlichen Identität nicht möglich sind: Wer am herrschenden System erfolgreich partizipieren will, muß ein Schauspieler, ein Lügner, eine Marionette sein; wer überleben will, muß sich verstellen können; wer widerstehen will, muß listig seine Identität verleugnen und seine Rollen besser spielen können als die Faschisten. Antifaschistische Satiren handeln daher von Masken und Schelmen, von Schauspielern und Doppelgängern, von Vorspiegelung und Nachahmung. In der ästhetischen Konzeption steckt eine politische Kritik: die Menschen unter dem Faschismus kommen nicht zu sich selbst. Dazu ausführlicher mein Aufsatz »›Preisgeben, vorzüglich der Lächerlichkeit‹. Zum Zusammenhang von Satire und Faschismus in der Exilkunst«, in: »Faschismuskritik und Deutschlandbild im Exilroman«, »Argument«-Sonderband 76, West-Berlin 1981, S. 103–118. — 23 »Müller«, a.a.O., S. 213. — 24 Ebd., S. 138. — 25 Ebd., S. 235. — 26 Ebd., S. 236. — 27 Ebd. — 28 *Viele sehen im Faschismus einen Anachronismus, ein Intermezzo, eine Rückkehr zu mittelalterlicher Barbarei,* heißt es dazu kritisch im redaktionellen Auftakt zum ersten Heft der Exilzeitschrift »Neue Deutsche Blätter« (Heft 1/1933, S. 1). — 29 »Müller«, a.a.O., S. 236. — 30 Walter Mehring: »Staatenlos im Nirgendwo«, Düsseldorf 1981, S. 71–74. — 31 Interview mit Walter Mehring, gesendet am 27. 4. 1981 vom Zweiten Deutschen Fernsehen (Interviewdatum erheblich früher).

Elsbeth Wolffheim

Anrufe aus einem Zwischenreich

Walter Mehrings »Briefe aus der Mitternacht«

In seinem »Brief an einen Leser, an die Leserin«[1] nennt Walter Mehring die »Briefe aus der Mitternacht« ein *Mitternacht-und-Tagebuch, geführt über vier Unjahre.* Die Prägung *Unjahre* – eine für ihn typische Stilfigur des Negierens von eigentlich nicht Negierbarem – deutet bereits auf einen vom Geläufigen abweichenden Realitätsbegriff: *Unjahre* sind nicht wirklich gelebte Jahre, sind eine Negation des Lebens. Und wenn Mehring weiter ausführt, dieses *Mitternacht-und-Tagebuch* sei *fiktiv-chiffriert in Versen, also in einer der Obrigkeit, Bürokratie, Dictatur unverständlichen Fremdensprache*[2], so ist damit ebenfalls eine die Realität camouflierende Tarnung intendiert: die *chiffrierte (...) Fremdensprache* soll nicht jedermann zugänglich sein. Darüberhinaus verweist auch der Titel »Briefe aus der Mitternacht« auf eine Brechung der Realität: die Mitternacht verkörpert den Schwebezustand zwischen Abgelebtem und ungewissem Neuanfang.

Dennoch gibt es in diesem Zyklus drei (ineinander verschränkte) Erzählschichten, die durchaus real fixierbar sind. Die »Briefe« sind zunächst einmal ein Bericht von den verschiedenen Leidensstationen des Exils (von Österreich nach Paris, von Paris nach Marseille und in verschiedene Lager, von Marseille über Martinique in die USA). Doch werden in diesen insgesamt 1001 Verszeilen nur vergleichsweise wenig reale Fakten vermittelt. Zweitens summieren diese »Briefe« allgemeine Erfahrungen der Emigranten wie auch zeitgeschichtliche Reflexionen, vor allem über das Versagen der Intelligenz angesichts des heraufkommenden Faschismus. Dahin gehören Prägungen wie *Fortschritts-Trug* (143[3]), oder die 5. Strophe des VII. »Briefes« über die »Gesellschafts-Spiele« der *Kunstmäzene, Bibliophilen* (126) usw., wie auch die selbstanklägerischen Zeilen aus dem II. Stück: *Edel war der Rausch ... (...) / So haben wir (...) niemals geliebt, nur ... stets bekehrt* – (106) –, eine äußerst negative Bilanz, die übrigens auch mit der Anspielung auf Nietzsche (*DER GROSSE PAN IST TOT*; 116) in eine melancholische Zeitkritik mündet.

Diese beiden narrativen bzw. reflektierenden Schichten der *unzeitgemäßen* (sic!) *Gedichtfolge* (46) sind eingebunden in eine weitere Realitätsebene: die Gedichte sind als »Briefe« konzipiert, an ein Du gerichtet. Der wesentliche Impuls für diese Gedichtfolge, sich einem Partner mitzuteilen, entspricht somit üblichen epistolarischen Voraussetzungen. Der Adressat ist eine Frau, die Wiener Schauspielerin Hertha Pauli, in die Mehring, wie er gesteht, sich sogleich verliebt hatte, als er sie in Wien kennenlernte (33). Der Wunsch, einem bestimmten Individuum Rechenschaft abzulegen über seine während ihrer Abwesenheit auf ihn einstürzenden Nachtgedanken, deutet auf strikte Privatheit hin.[4] Doch schon die Tatsache, daß Mehring die drei ersten Stücke 1938 im »Neuen Tage-Buch« publiziert[5], hebt die Privatheit auf. Im Text zwar insinuiert er sie fortgesetzt, noch am Ende des Zyklus,wo es heißt: (. . .) *mein Wort sei Dein – sonst sei es stumm! / Bitt Dich drum, keinem mitzuteilen / Den Inhalt dieser tausend Zeilen.* (144) Das aber widerlegt er selber, indem er die »Briefe« nach dem Krieg mehrfach publiziert.[6] Auch hier also ein Spiel mit verschiedenen Realitätsformen.

Eine weitere epistolarische Voraussetzung, die der Kontaktaufnahme, ist nicht gewährleistet, denn – abgesehen von der Wiener Exil-Zeit und der gemeinsamen Flucht durch das besiegte Frankreich (im VI. Stück erzählt) – ist die Adressatin der »Briefe« in unerreichbare, höchst ungewisse Ferne gerückt: Die Gedichte aus der Lagerhaft und aus Marseille entstehen während ihrer Abwesenheit: Ganz Frankreich versank im Chaos, die Gefährdung für die vor Hitlers Truppen geflohenen Deutschen war übergroß, Kontakte untereinander riskant und äußerst schwierig. (Ich setze voraus, daß Details über die bürokratischen Schikanen gegen die Emigranten, daß das Auslieferungsbegehren der Nazis, fixiert im berüchtigten § 19 des Waffenstillstandsvertrages, bekannt sind.) Kurzum, der fiktive Charakter der »Briefe« ergibt sich auch daraus, daß die Absendung an die Empfängerin ausgeschlossen ist, worauf auch das dem Zyklus später vorangestellte Versbündel verweist: *nie abgesandt – verfaßt in (. . .) Zwischenzeiten (1937–41), in denen es keinen Aufenthalt gab – keine Adresse – und keine Empfängerin –* (97). Augenfälliger noch wird diese Irrealität durch die gleich im I. Stück signifikant gesetzte Metapher *Charonspost* (103), die durch Assoziationen an Unterwelt und Vergessensein ein Zwischenreich der Verlassenen heraufbeschwört.

In den Bereich des Halbrealen gehört aber auch, daß diese Liebesgedichte, die prononciert mit einer Liebeserklärung enden, die immer wieder thematisierte Leidenschaft nur einseitig reklamieren können. Gewiß, Mehring bekennt sich unermüdlich zu seiner Liebe mit Wendungen wie: *Weil ich nichts so begehr / Wie Dich* (144), *daß / Im Aussichtslos nicht von Dir lass –* (144) oder: *Ich bin: aus Deinem Sein und Wesen (. . .) / Ohne dich möcht ich nicht genesen.* (134) Ja, er bildet aus ihrem Vornamen ein Akrostichon in der letzten, höchst pathetischen Strophe des IX. Gedichts –, aber von gleich starker Resonanz bei seiner Partnerin kann nicht die Rede sein: In ihren autobiographischen Aufzeichnungen aus dem Exil »Der Riß der Zeit geht durch mein Herz«[7] berichtet Hertha Pauli, die kurz nach Mehrings Flucht aus Wien ebenfalls in Paris Asyl fand, im gleichen Hotel übrigens, mit großer Verve von einer Liebesbeziehung zu einem Franzosen. Mehring quittiert diese Beziehung in seinen fragmentarischen Exil-Aufzeichnungen »Wir müssen weiter« mit einem nüchtern-sarkastischen Kommen-

45

tar, der kaum etwas von seiner eigenen Verletztheit preisgibt. Daß Hertha Pauli auf der Flucht mit Mehring Postkarten an den Geliebten schreibt, daß dieser *Weiberheld* (63) noch einmal in Marseille auftaucht –, nichts davon spiegelt sich in seinen Gedichten, diese privatesten Verstörungen bleiben ausgespart. Mehring stilisiert seine Liebe zur *verwirrend nahen, allzu entfremdeten Geliebten* (46) – dies die einzige, nicht einmal den »Briefen« anvertraute Bekundung seiner Verletztheit! – auf verschiedene Weise: Für ihre gemeinsame Flucht aus Paris benutzt er die Metapher *Hochzeitsflucht* (64), was als Umkehrung der bürgerlichen ›Hochzeitsreise‹ eine Negation einschließt, worauf auch seine Deutung verweist: *Wir waren es seit Wien gewohnt, bei Untergängen vereint zu sein.* (47) Bei *Untergängen* vereint, das trifft überdies nur teilweise zu, denn während der verschiedenen Lageraufenthalte, von ihm sehr wohl als Untergänge apostrophiert[8], ist die Geliebte abwesend. Darüberhinaus projiziert er in diese Bindung euphemistische Wunschträume, wenn er ihr magische Wirkung zutraut, so in den Zeilen: *Als zwischen uns der Tod schon wählte/– zu zweit: gefeit – uns so verfehlte (. . .)* (122).[9] Auch die Tatsache, daß er jede Trennung von der Geliebten, kaum aber ihre Untreue, als doppeltes Exil begreift[10], läßt eine deutliche Projektionsbereitschaft des schreibenden Ich erkennen. Alle diese Stilisierungen verraten den Wunsch, sich zumindest verbal der eigenen Liebesintensität zu versichern. Mithilfe der Wortmagie sucht er die Partnerin an sich zu binden, wenn schon dies weder real noch emotional möglich ist.

In der ausweglosen Situation des Exilierten und von den Nazis Verfolgten glaubt er, seine Identität allein in seinem *Wort* zu finden, wobei er freilich auch diese Identität durch ihre Abwesenheit bedroht weiß[11], bedroht aber auch durch die *Diktatur des Todes: Noch faßte ich, ans Wort gekrallt, / Im Schreiben meinen letzten Halt (. . .)* (113). Das *Restchen Ich* (113), nur noch im Verbalisieren seiner Leidenschaft und seiner Ängste manifest, macht, je drohender das doppelte Exil sich zeigt, die äußersten Anstrengungen, im Haltlosen Haltbares zu stiften. Alle dichterische Bemühung – die er sich auferlegt durch die kunstvolle Strukturierung seiner Gefühle, durch den strengen Strophenbau, durch Reim und kühne Metaphern, durch die festbegrenzte Zeilenzahl – dient der Bewahrung seiner Identität. Von daher erklärt sich schließlich auch, daß der gesamte Komplex der Liebesbeziehung in den »Briefen« so vielfältig stilisiert ist: Mehring *braucht* dieses Wunschgebilde, als das sich seine unerwiderte Liebe erwiesen hat, um sich selber zu retten, um der ihn wieder und wieder bedrängenden Versuchung nach Selbstauslöschung[12] zu widerstehen. Nicht Liebe also, sondern der Wunsch nach Liebe, nach kunstvoll verbalisierter Liebe hält ihn am Leben.

Der drohende Ich-Verlust wird zum zwanghaften Trauma; Mehring erlebt sich als *ein auf den Amtslisten durchgestrichener (. . .) Niemand, ein abgeurteilter Deserteur aus der Realität* (92). Symptomatisch für diese Erfahrung ist, daß er einer noch in Frankreich konzi-

pierten, freilich nie geschriebenen Autobiographie den Titel »Die verlorene Existenz« geben wollte[13]. Die zerbrochene Identität wird überdies besiegelt durch die gefälschten, nicht mehr auf seinen Namen
lautenden Ausreisepapiere, die Varian Fry, der ›Menschenretter von
Marseille‹[14] dem *Niemandmehr* (96) aushändigt: Mehring erhält den
Schiffsplatz des ehemaligen Weimarer Ministers Rudolf Hilferding,
der die ungewisse Flucht nicht wagen wollte und später in Paris
umkam[15]. Mit dem ›Freifahrtschein‹ eines dem Tode Ausgelieferten
ausgerüstet, mag sich für ihn das Gefühl der verlorenen Identität noch
verstärkt haben.

Mit diesem Identitätsverlust korrespondiert ein für den gesamten
Zyklus spezifischer Gebrauch all der Metaphern, die um die Dimen-
sion Zeit zentriert sind. In den ersten Stücken sind sie eher artistisch
motiviert, so das Geständnis, die Nazi-Propaganda mache ihn *zeit-
krank* (99), und auch die Prägung *Zeitgeäst* (103) hat noch den Charakter des Wortspiels. Doch zunehmend gewinnen diese Metaphern eine
kritische, anklägerische Komponente: Im III. »Brief« ist in einer kul-
turhistorischen Rückblende die Rede von der *zeitverschneiten Spur*
(108). Kritisch geht Mehring dabei mit der Jahrhundertwende ins
Gericht, mit ihrem *Markartplüsch* und *Wagnersamt*, mit der Pervertie-
rung aller Ideale durch *Pöbelsinn*, der auch Nietzsche, der *Entwerter
höchster Werte* (109) anheimfiel. Freilich bleibt hier Mehrings Nietz-
sche-Bild unscharf; deutlich aber wird seine Ablehnung der Apologie
des Übermenschen angesichts der unerhörten Barbarei: Was Nietzsche prophezeite, ein neues Zeitalter, ist nicht in Sicht, vielmehr Abgesang des alten, Liquidierung aller Werte. Von hier ab werden alle Zeit-
Bilder immer stärker an eine Untergangs-Metaphorik gebunden, so in
den Zeilen: *Zur Unzeit leb (...) unzeitgemäß* (111); auch ist vom
Totenwalzerklang (116) die Rede, vom *Rasseln des Zeitgewichts* (131).
Zuletzt wird die Inversion der Zeit zum Leitmotiv: *Es geht ein Schiff
um Mitternacht – / Ertrunkne haben's klar gemacht / Legt nirgends an
– Klock Nimmermehr –/ (...) Mit Volldampf Kurs nach achtern hält
(...)* (131 f.) Die Regression bzw. Aufhebung von Zeit und Raum sym-
bolisiert die Aussichtslosigkeit seiner Situation.

Diese Regression aber treibt ihn in ein Limbo, in dem ein *Schatten-
wanderer* (53), in dem *Ertrunkne* oder *Lemuren* (126) sich bewegen.
Letztlich sind also die »Briefe aus der Mitternacht« (dem Zeitpunkt,
wo Tag und Nacht nicht voneinander geschieden sind) Anrufe aus
einem Zwischenreich, das von Toten bevölkert ist. Damit wird schließlich auch offenbar, daß das als Epitaph gemeinte X. Stück des Zyklus,
in dem die Erinnerung an die im Exil umgekommenen Gefährten
beschworen wird, einen Kulminationspunkt der Gedichtfolge mar-
kiert. Der, der sich später aus diesem Limbo auf ein Auswanderer-
schiff rettet, ist nicht mehr derselbe, der Frankreich verließ. Seine
Existenz, seine Identität ging hier verloren, ging verloren, als er *die
Toten* aufsuchte *in ihrer Republik Zu-Spät* (142). Der Kontext dieser
beziehungsreichen Zeilen enthüllt endlich, wodurch das Ich der »Mit-

ternachts-Briefe« inspiriert wurde: durch den Gang des Odysseus in die Unterwelt. Damit ist ein Schlüssel gefunden, der die immer stärker auf Negation zielenden Zeit-Metaphern dechiffriert, der aber auch viele andere Metaphern, an denen diese Gedichte überreich sind, aufschließt.

Zunächst ist natürlich der längst kanonisierte Gebrauch der »Odyssee« als einer Irrfahrt auch für Mehrings Metaphernwahl maßgebend, so in vielen Bildern aus dem nautischen Bereich, aber auch in einer Wendung wie des *Exils Medusenarme* (100), wodurch gleich im I. Stück ein Signal gesetzt wird. Doch intendiert Mehring mit der Einbettung in die homerische Welt zugleich eine Transzendierung auf eine andere Ebene: auf die des individuellen Mythos. Das wird augenfällig, wenn man die »Briefe aus der Mitternacht« mit den synchron entstandenen Exil-Gedichten vergleicht, die meist im Lied-, Legenden- oder Balladenton witzig oder aggressiv *als unmittelbare Reaktion auf politische Tagesereignisse zu lesen*[16] sind. Hier erfolgt die Anklage durch raffinierte Rollensprache, durch Überspitzung und Sarkasmus. In den »Briefen« jedoch wird die Anklage in Pathos gekleidet. Das rührt daher, daß Mehring hier sein eigenes – durch Identitätsverlust gefährdetes – Ich in den Mittelpunkt rückt. Hier schreibt nicht der frivol-wortgewandte Chronist einer aus den Fugen geratenen Zeit, hier kompensiert ein einzelnes Individuum seinen eigenen Leidensdruck durch das Wort. Eben dadurch, durch den persönlichen Immediatbericht (der übrigens einige historische Verzeichnungen enthält[17]), wird der pathetische Sprachton begreifbar. Wendungen wie *Die Fessel, die in Nîmes ich trug* (123) – eine kurze Reminiszenz an die Inhaftierung Mehrings und anderer Emigranten im Amphitheater von Nîmes –, oder die Zeile *Wieder hat man mich eingefangen* (125) meinen individuelles Schicksal; doch das allgemeine – das seiner Exilgefährten – wird immer wieder einbezogen. Die *Schmach*, die Frankreich den Flüchtlingen antut, indem es *den Opfern (. . .) den Krieg erklärt* (127), sie zu *Freiwild* macht, wird mit anklägerischem Pathos angeprangert –, in der Wortwahl freilich ebenso stilisiert wie alles, was Mehring der Nazi-Diktatur ankreidet. Auch dieser Bereich wird dämonisiert, in eine metapolitische Ebene transponiert. Hitler, dessen Name nirgends fällt, ist *der Menschenschreck* (115), seine Truppen heißen *die Würger* (122), das Auslieferungsbegehren an Frankreich *ein Blutbefehl* (127).

So sind denn diese »12 Briefe« alles andere als eine genaue Chronik der Zeitereignisse in Gedichtform, sondern persönliches, d. h. persönlich eingefärbtes Bekenntnis, in dem ein aufs äußerste gepeinigtes Individuum sich zu finden sucht[18]. Verschärft wird sein Leidensdruck dadurch, daß nunmehr die Öffentlichkeit, die einst den Schriftsteller mit Ruhm und Anerkennung verwöhnte, seiner dichterischen Bemühungen absolut entraten muß bzw. möchte[19]. So flüchtet er zu dem einzigen (unerreichbaren) Leser, dem allein er sich zu nähern ermag, wenn er sich dem *Nirgendwo*, der *Mitternacht* verschreibt[20]. Die daraus resultierende Irrealität, die den gesamten Zyklus prägt, die

Regression, der Identitätsverlust – all das spiegelt sich in den signifikanten Zeilen: *Und wandre wieder um das Stück, / Das mir der Tag raubt, nachts zurück (. . .)* (111). Zurückwandern meint Zurückholen des Geraubten, und das ist nur konkretisierbar im Akt des Schreibens, in der Stilisierung des Leidens zur Leidenschaft, zu Anrufen aus der Unterwelt.

Textvorlagen: 1. Walter Mehring: »Briefe aus der Mitternacht 1937–1941«: 45. Veröffentlichung der Deutschen Akademie für Sprache und Dichtung Darmstadt. Heidelberg 1971. 2. Walter Mehring: »Großes Ketzerbrevier / Die Kunst der lyrischen Fuge«, mit einem Nachwort von Richard Friedenthal. München, Berlin 1974, p. 243 ff. 3. Walter Mehring: »Wir müssen weiter / Fragmente aus dem Exil«, hg. von Christoph Buchwald. Düsseldorf 1978. 4. Walter Mehring: »Wir müssen weiter / Fragmente aus dem Exil.« Taschenbuchausgabe aufgrund der von Christoph Buchwald edierten Werkausgabe, Ungekürzte Ausg. Frankfurt/M., Berlin, Wien 1981, p. 97 ff. 5. Walter Mehring: »Staatenlos im Nirgendwo / Die Gedichte, Lieder und Chansons 1933–1974«, hg. von Christoph Buchwald. Düsseldorf 1981, p. 99 ff.

1 Klappentext zu Textvorlage Nr. 1. – Nur in dieser Ausgabe lautet der Titel »Briefe aus der Mitternacht«, in 2–5 aber immer: »12 Briefe aus der Mitternacht«. — 2 Ebd. — 3 Die »12 Briefe aus der Mitternacht« wie auch die inhaltlich weitgehend kongruenten »Fragmente aus dem Exil« werden zitiert nach Textvorlage Nr. 4; im fortlaufenden Text wird nur die Seitenzahl in ( ) angegeben, in den Anm. (Wmw, Seitenzahl). — 4 *Beichtend, erzählend (. . .) Dir zugedacht.* (Wmw, 144). — 5 S. »Staatenlos im Nirgendwo«, p. 250 (Anm. des Hg. zu 99). — 6 S. Textvorlagen, die allesamt zu Mehrings Lebzeiten erschienen. — 7 Hertha Pauli: »Der Riß der Zeit geht durch mein Herz / Ein Erlebnisbuch«. Wien, Hamburg 1970, s. bes. p. 104 ff. und p. 221 ff. — 8 »Aus Grüften« (Wmw, 118) *eingekäfigt* (Wmw, 119). *In Gleichheits-Kellern enden* (Wmw, 127), u.a.m. — 9 Vgl. auch: *(. . .) daß gegen jeden Feind / Inbrunst uns samsonkräftig eint* (Wmw, 111) und: *Sehnsucht nach Dir! Das ist das Zeichen –/ Das zwingt sie magisch, mir zu weichen!* (Wmw, 106) mit deutlicher Anspielung auf die Szene ›Studierzimmer‹ in »Faust I« — 10 *Daß mich zuletzt noch ins Exil / Die Liebe stieß: das war zu viel!* (Wmw, 124). Der Satzfeher (in Wmw fehlt *zu*) wurde vom Vf. korrigiert. — 11 *Wie rankt mein Wort sich blätterlos –/ (. . .) Wie krankt es lieblos – wächst es wüst: / Da einzig Du darin erblühst.* (Wmw, 134). — 12 Z. B. in den Zeilen: *So nimm, Nacht, den schon lebensleeren / Leib, um mich völlig zu entschweren!* (Wmw, 124). — 13 S. Wmw, 93. – Anklänge an Mehrings »Die verlorene Bibliothek / Autobiographie einer Kultur«, Icking, München 1964, sind unüberhörbar. — 14 So wird der vom American Rescue Committee nach Marseille gesandte Amerikaner Varian Fry in verschiedenen Emigranten-Autobiographien genannt. Die besonders komplizierte Rettung Mehrings dokumentiert Varian Fry in seinem Buch »Surrender on Demand«. New York 1945. — 15 »Staatenlos im Nirgendwo«, p. 236 (Nachwort des Herausgebers). – Daß Mehring überdies in der ›Dringlichkeitsliste‹ Varian Frys durch den Freitod des in Paris zurückgebliebenen, ihm befreundeten Ernst Weiß *aufrücken* konnte – wie Hertha Pauli in ihrer Autobiographie berichtet (a.a.O. p. 239) –, ist sonst nirgendwo belegt, bleibt wohl auch wenig relevant. Doch Schuldgefühle gegenüber Ernst Weiß bei Antritt der Flucht aus Paris hat Mehring späterhin in seiner »Verlorenen Bibliothek« nicht verhehlt (a.a.O. p. 249): *(. . .) ich werde es mir nie verzeihen,* heißt es da, daß nämlich Weiß zum *Mitkommen nicht zu bewegen* gewesen sei. Bei Hertha Pauli ist diese Szene so begründet, daß Weiß von Mehring (und Natonek) zunächst nicht dringlich genug aufgefordert worden sei, ein Hilfegesuch an Thomas Mann zu unterschreiben. Wir sind *zu viel,* habe Mehring eingewandt (Pauli: a.a.O., p. 168). Wie weit die divergierende

Elsbeth Wolffheim

Darstellung betreffend des Zögerns von Weiß Mehrings Schuldanteil verringert oder vergrößert (bei Pauli), gehört zu den psychologischen Implikationen, die hier nicht geklärt, sondern nur als Frage gestellt werden können. Man könnte sie vielleicht ganz beiseitelassen, hätte nicht Anna Seghers in ihrem Roman »Transit« gerade den Freitod von Ernst Weiß für das Motivgeflecht von Figuren-Vertauschungen, Paßfälschungen und den – für Marseille geradezu typischen – Visa-Abtretungen benutzt, wobei freilich nur für Weiß, nicht aber für Mehring eine Schlüsselfigur figuriert. Schuldfragen bei diesem extraordinären Überlebenskampf der in Frankreich eingesperrten Flüchtlinge überhaupt aufzuwerfen, ist allerdings nur darum erlaubt, weil Mehring sie selber mit seinem bereits zitierten Halbsatz evoziert. — 16 »Staatenlos im Nirgendwo«, p. 229. — 17 Vgl. den Hinweis von Christoph Buchwald in seiner Anm. 21 zu »Staatenlos im Nirgendwo«, a.a.O. p. 242. — 18 »Mein Brief an Dich – ein Zeitbericht / Zeigt mir mein eigenes Gesicht.« (Wmw, 105). — 19 S. das Nachwort von Cristoph Buchwald zu »Staatenlos im Nirgendwo«, a.a.O. p. 229, wo dieser auf Mehrings Isolierung in Österreich verweist, wie auch p. 231. — 20 Mitzulesen ist dabei auch immer die übergreifende Assonanz an die Mitternacht des Abendlandes.

50

Christoph Buchwald

Odysseus hat entweder heimzukommen oder umzukommen

Notizen zur Rezeption Walter Mehrings nach 1950

Die Gedichte, Lieder und Chansons des Walter Mehring erschienen 1981, zum fünfundachtzigsten Geburtstag, zum ersten Mal gesammelt. Das heißt im Falle Mehrings: dreißig Jahre zu spät. Schriftsteller, die 1933 ihrer Überzeugung oder Herkunft wegen das Land verlassen mußten, waren im Nachkriegsdeutschland nicht eben willkommen. Die Äußerung des Schriftstellers Frank Thiess, der den Exilierten vorwarf, sie hätten *der deutschen Tragödie von den Logen und Parterreplätzen des Auslands* aus zugeschaut, stand für eine weitverbreitete Ansicht.

Nicht wenige der Ausgebürgerten zögerten ihre Rückkehr nach Deutschland hinaus. Mehring, in den USA trotz des Erfolges seiner »Lost Library« kurz vorm Verhungern, hoffte auf einen Dialog mit neuen Lesern, auf Interesse an dem, was er während des ›Tausendjährigen Reiches‹ im Exil erlebt und geschrieben hatte. Er kehrte im Februar 1953 nach Europa zurück. Aber eine Vergangenheitsbewältigung, zu der der prophetische Spötter einiges beizutragen gehabt hätte, fand in der Adenauerrepublik nicht statt. Die Romane und Gedichte der Exilierten wurden in den Fünfziger Jahren kaum mehr gedruckt, geschweige denn gelesen. Vermittelnde Zeitschriften wie Döblins »Goldenes Tor«, Anderschs »Ruf« und Kantorowicz' »Ost und West« existierten nicht mehr.

Mehring war kein Einzelfall. Die Namen von Irmgard Keun, Arnold Zweig, Armin T. Wegener und Heinrich Mann stehen stellvertretend für viele andere. Glaubt man den Schulbüchern der fünfziger und frühen sechziger Jahre, so wurden wichtige Bücher zwischen 1933 und 1945 nur von Gottfried Benn, Elisabeth Langgässer, Ina Seidel, Werner Bergengruen und Oskar Loerke geschrieben.

Und als hätte er geahnt, was ihn in Deutschland erwartete, schrieb Mehring 1948 angesichts der Nachrichten aus den Ost- und Westzonen: *Man wird es uns nie verzeihen, daß wir uns nicht haben erschlagen oder ein bißchen vergasen lassen.*

Dennoch war er nach zehn brotlosen, elenden Jahren im US-Exil (die ihn Grosz zufolge paranoisch werden ließen) hinsichtlich einer Resonanz und neuen Leserschaft in Deutschland nicht ohne Zuversicht. *Ihnen, mein lieber Freund und geschätzter Verleger meiner Verse,* schrieb er in einem in der »Welt« vom 6. 12. 1952 abgedruckten Brief an Ledig-Rowohlt, *wäre ich dankbar, wenn Sie (...) Ziel und Zweck meine kurzen Abstechers einer präsumptiven Leserschaft*

Christoph Buchwald

bekanntmachen könnten, um diese schonend auf die Stippvisite eines
entfernten Autors des Rowohlt Verlages vorzubereiten, der ich bin, mit
der Ihnen und dem deutschen Publikum geschuldeten Hochachtung,
und zu kulturellen Gegendiensten aufrichtig bereit, in der Alten wie in
der Neuen Welt – wo immer es sei – als Ihr und der heutigen Menschheit
ganz ergebener Walter Mehring. Ähnlich heißt es in einem im »Freien
Wort« vom 12. 1. 1952 abgedruckten Brief: Vieles Wesentliche läßt sich
nicht in Briefen, sondern besser im Gespräch, im lebendigen Gedanken-
austausch disputierend klären. Deswegen, für mein nächstes, im Plan
schon entworfenes Buch, wünsche ich mir die Gelegenheit zu einem
neuerlichen Besuch Deutschlands, zu einer Begegnung dort mit Ihnen,
mit anderen, die von den gleichen Idealen und Empfindungen beseelt
sind, zu einer fruchtbaren Verständigung.

Mehring kam zurück mit Gedichten, die von Katastrophen sprachen
und von Untergängen, mit Gedichten, in denen Deutschland kein Win-
termärchen und das Dritte Reich kein Betriebsunfall der Geschichte
waren, sondern ein Alptraum. Doch davon wollte, wie sich bald her-
ausstellte, niemand etwas wissen. Aus den »Alten und neuen Gedichten, Liedern und Chansons« der 1951 erschienenen »Arche Noah SOS«
wurden einige Lieder aus der Exilzeit eliminiert, klagt Mehring 1960 in
einem Brief, obwohl sie nur thematisch darauf abgestimmt waren –
ohne jede Wehleidigkeit (...) »Es ist noch viel zu viel Emigrantenlyrik
darin! Deswegen verkauft sich Ihr Band nicht! zitiert der Briefschrei-
ber einen Verlagsbrief, Die Bücher kommen in Deutschland nicht an,
(sind) schwer lesbar, zuviel vom Exil, das will man heute nicht mehr
wissen«. Dr. Witsch, Verleger des 1962 publizierten »Neuen Ketzerbreviers«, teilte dem Autor mit, er habe schon nach den ersten Worten mit
ihm gewußt, daß er mit dem Buch kein großartiges Geschäft machen
würde, und Hans Magnus Enzensberger soll Mehring zufolge gegenüber Dr. Witsch geäußert haben, die Gedichte und Songs seien heute
veraltet. Auch wenn Mehrings Zitierweise gegenüber Skepsis ange-
bracht ist, fest steht, daß sowohl die »Arche Noah SOS« (1951) die
»Verlorene Bibliothek« (1952) und alle folgenden nach dem Kriege in
Deutschland neu aufgelegten oder zusammengestellten Mehring-
Bücher trotz teilweise hervorragender Kritiken wie Blei in den Rega-
len lagen. Besonders die Versbände mit den Gedichten aus der Emigration über Exil und Drittes Reich waren in Zeiten des Wiederauf-
baus und der Wiederbewaffnung wenig gefragt, der Begriff ›Emigrantenlyrik‹ galt als Schimpfwort, das meinte: ästhetisch minderwertig.
Den Kabarettdichter ließ man gelten, den Sänger der Katastrophen
und speziell der deutschen Schande wollte man nicht zur Kenntnis
nehmen.

Mehring brachte Manuskipte mit, die von der Odyssee des Exils
Zeugnis ablegten in Prosa und Vers, aber Verleger und Kritiker wink-
ten ab oder verkleinerten ihn zum Kabarettautor. Die Ahnungslosigkeit wie die Absicht verbitterten ihn gleichermaßen. Er wurde brüs-
kiert und fühlte sich als Lyriker nicht ernstgenommen und er klagte

immer wieder darüber, daß man ihn *unautorisiert als Vereinshumoristen* hinstellte. *Wenn man mich schon (. . .) fortlaufend in Heiterkeits-Anthologien verwurstet, mich auf Kabarettstriptease umschneidert, möchte ich doch endlich anhand dessen kritisert werden, was ich authentisch geschrieben habe.* Selbst der Mit-Dadaist Richard Huelsenbeck schrieb noch 1957, Mehrings Gedichte hätten *weniger mit dem Dadaismus als mit dem Kabarett der Komiker zu tun.*

Die Festlegung auf den Kabarettdichter gilt vor allem für die fünfziger Jahre, für die sechziger trifft sie – obwohl von Mehring behauptet – nicht mehr zu. Nach dem Erscheinen der Prosabücher »Verrufene Malerei« (1958), »Berlin Dada« (1959), »Müller. Chronik eines Teutschen Stammbaums« (1960), »Die verlorene Bibliothek« (erweiterte Ausgabe, 1964) und »Algier oder Die 13 Oasenwunder« (1965) ließ sich solche Etikettierung nicht mehr aufrechterhalten. Die Kritiker und Rezensenten würdigten ihn als Lyriker wie als Essayisten und Prosaautor. Auch wenn Prosabücher wie Versbände sämtlich in kleinen Auflagen erschienen und fast ausnahmslos in den Ramsch gingen, wurden sie doch meist wohlwollend besprochen. Aber gerade das Wohlwollen ärgerte ihn, so sehr er den Erfolg brauchte: *Oh, man nahm mich außerordentlich freundlich auf,* heißt es in einem Brief, in dem Mehring seinen Auftritt vor dem Düsseldorfer Kunstverein schildert, *mit einer mir ein wenig zu betonten Duldsamkeit, einem Achtungserfolg, wie er einem geschätzten, also harmlosen ›Gaga‹ gebührt.* Mehring wollte kein Schulterklopfen, sondern Widerspruch, Debatte und Provokation, aber es fehlten ihm Gegenwart und Gegenwartsliteratur, es fehlten die Auseinandersetzung, der Spießerprotest und – die Außenseiterrolle: *meine letzten Publikationen (in Buchform) erregten weder die Aufmerksamkeit, noch, was schlimmer ist – die offene Entrüstung, die mich zum Schreiben reizt, aufmuntert, wenn auch nur als ein Aphrodisiakum.* Seine ausschließliche Beschäftigung mit den zwanziger Jahren und dem Exil entrüstete niemanden und interessierte wenige, das Wirtschaftswunder ließ den Blick zurück nicht zu, der *Blick zurück nach vorn* ist eine Erfindung erst der siebziger Jahre.

Mehring selbst empörte sich nicht über die Gegenwart (die Anti-Atom-Bewegung, Ostermarsch und Algerienkrieg gingen ihn nichts an), Protest kam von ihm nur, als andere sich mit einer Vergangenheit beschäftigten, die auch die seine war. Als Alfred Kantorowicz im Spiegel vom 14. 2. 1966 unter dem Titel »Illusion eines Emigranten« einen Band mit Essays Leopold Schwarzschilds aus den dreißiger und vierziger Jahren besprach, nahm Mehring, erbost über die von Kantorowicz vorgebrachten *Verfälschungen,* in sieben Schreibmaschinenseiten umfassenden *Berichtigungen* Stellung. Sie sind sein einziger zusammenhängender längerer Text, den er in den letzten fünfzehn Jahren geschrieben hat.

Dieser Mehring ist nicht mehr populär, schrieb Friedrich Dürrenmatt 1956 mit Blick auf den Literaturbetrieb der Adenauerrepublik, *die Menschen wollen ihre Untergänge entweder besungen haben oder*

Christoph Buchwald

*vergessen (. . .). Odysseus hat entweder heimzukommen oder umzu-
kommen, beides ist für den Ruhm gleich dankbar, gleich verwendbar;
Mehring ist nur davongekommen. Damit läßt er es bewenden. Sein
Itaka ist untergegangen. Es gibt keine Heimkehr mehr, auch wenn er
nun in Europa haust.* Mehring war nicht ohne Hoffnung zurückgekehrt, aber die Tatsache, daß er fast ausschließlich mit der Vergangenheit beschäftigt blieb, ließ ihn nie in der Gegenwart ankommen.

In den Jahren nach dem Kalten Krieg wurde zögernd auch der Exil-
dichter und Verfasser satirischer Romane veröffentlicht und gewür-
digt; und als seine Bedeutung zumindest ansatzweise erkannt war
(Akademie-Mitgliedschaft, Fontane-Preis), war er es, der es den Freunden und Förderern schwer machte bei dem Versuch, sein Werk unter
die Leser zu bringen. Mehring fühlte sich übersehen, übergangen,
zurückgesetzt. Brecht und Tucholsky wurden als Klassiker der
Moderne bezeichnet, er aber bekam immer noch in schöner Regelmä-
ßigkeit niederschmetternde Honorarabrechnungen und die Mitteilung, daß sein letztes Buch unter Aufhebung des Ladenpreises in den
Ramsch gehen würde. Der offensichtliche Mißerfolg lag für ihn weniger am Desinteresse der Leser an der jüngsten Vergangenheit, und
auch nicht an den relativ hohen Anforderungen, die sein Werk stellte
und stellt, sondern – und davon ist in seinen Briefen fast immer die
Rede – an der fragwürdigen und fehlerhaften Edition seiner Bücher,
die ohne entsprechende Werbung blieben und seiner Meinung nach
von den Medien boykottiert wurden. Obwohl er von Funk- und Fern-
sehredakteuren immer wieder zu Sendungen mit und über sich selbst
eingeladen, zu Anthologiebeiträgen, Vorträgen und Lesungen aufgefordert wurde, blieb er bei seiner Boykott-Theorie und vergrätzte
damit auch die gutwilligsten Kulturredakteure (die ihn manchmal mit
ihrer beeindruckenden Ahnungslosigkeit zur Verzweiflung brachten).
Was für ihn und sein Werk publizistisch getan wurde, war seiner literarischen Bedeutung selten angemessen, aber er nahm auch das wenige
nicht zur Kenntnis. Mehring nahm nichts zur Kenntnis, weil jede
Beachtung und Würdigung seines Werkes (die er sich sehnlichst
wünschte) dem Selbstverständnis vom ›poète maudit‹ widersprach.
Als ›poète maudit‹ bezeichnete er sich noch Ende der sechziger Jahre,
aber der Habitus des ›verruchten Dichters‹ und verfolgten Bohemiens
war in der Wirtschaftswunderrepublik im besten Falle der rührende
Gestus eines Fossils der Weimarer Republik und im schlechtesten ein
lächerlicher Anachronismus.

Mehring hat dies gespürt und darunter gelitten bis zur völligen
Schreiblähmung. Außer den Erinnerungsbüchern »Verrufene Malerei« (1958) und »Berlin Dada« (1959) und neun weit hinter Früherem
zurückbleibenden Gedichten hat er nichts mehr aus der Hand gegeben. Die Anfang der sechziger Jahre auf 800 Seiten angelegte Autobiographie »Topographie einer Hölle« blieb unvollendet und wurde erst
1979, ganze 96 Seiten stark, nach einer vollkommen chaotischen
Manuskriptvorlage als »Wir müssen weiter. Fragmente aus dem Exil«

herausgebracht. Einzelne Manuskriptblätter hatte Mehring wieder und wieder abgeschrieben, ohne daß ersichtlich wäre, warum. Er hatte kaum ein Wort im Text verändert.

Sein fast vollständiges Verstummen in den Sechziger Jahren (zwischen 1920 und 1930 wurden fünfzehn Bücher und über hundert Glossen und Aufsätze von ihm veröffentlicht!) hat zum einen mit der totalen Erschöpfung während der erniedrigenden, zermürbenden US-Jahre nach 1945 zu tun, Jahre, während derer er auf die *Charity* und Almosen von Grosz angewiesen war und unter starken Depressionen litt; zum anderen spielt die große Enttäuschung, die er aufgrund des gänzlichen Mißerfolgs seiner Bücher in Deutschland erlebte, eine sicher wesentliche Rolle. Hinzu kommt: Tucholsky, Roth, Horváth, Toller, die Weggenossen, auf deren Rat Mehring etwas gab, lebten nicht mehr, weil sie das, was er hatte ertragen müssen, nicht hatten ertragen können – Mehring aber war davongekommen, übriggeblieben, isoliert, von den alten Freunden waren für ihn erreichbar nur noch der Malter Paul Citroen in Holland und die Chansonnette Blandine Ebinger in Berlin.

Nach seiner Rückkehr hat er sich nirgends mehr eingelebt, der Satz vom Leben *staatenlos im Nirgendwo* ist nicht nur ein Bonmot. Aus den Briefen der Jahre nach 1953 spricht zudem eine frappierende Desorientiertheit über alle gegenwärtige Kultur und Politik. Mehring ließ sich auf die Gegenwart nicht ein bzw. versuchte, ihr mit den Maßstäben und Erfahrungen der Weimarer und Exilzeit beizukommen und fand also keinen Boden und keine Orientierung und keinen Standpunkt. So polemisierte er in den fünfziger Jahren, ohne zu durchschauen, was er bewirkte und wem er diente, blindwütig gegen jeden, der die Utopie eines besseren, sozialistischen Deutschland noch nicht aufgegeben hatte, beschimpfte Brecht, Heinrich Mann, Bloch, Kantorowicz und andere als Stalinisten und vertrat wie viele, die die McCarthy-Prozesse in Amerika miterlebt hatten, unbedenklich die These ›rot gleich braun‹.

Politisch isoliert, ohne größeres Publikum, ohne ›festen‹ Verlag hauste er die letzten dreißig Jahre meist in miserablen Hotelzimmern (obwohl er sich nach der Anerkennung als Nazi-Verfolgter andere hätte leisten können) in München und Zürich, lebte ohne Freunde und ohne Heimat. Seine Heimat, die Bohème, existierte nicht mehr, und eine andere war für den ›poète maudit‹ nicht denkbar außerhalb des eigenen Werkes.

Das letzte, vermutlich 1974 entstandene Gedicht verspottet selbst noch dieses:

Und als Trinkgeld verworfen /
blieb nichts übrig /
als ein Vers /
auf den sich nichts sonst reimte /
als
    pervers ///

Axel Eggebrecht*

»Mehring war ein liberaler Anarchist«

Wo und wann habe ich Mehring kennengelernt? Das ist gar nicht mehr so leicht zu bestimmen. Es muß gewesen sein 1921 oder 1922. Ich war damals begeisterter junger Kommunist, hatte mich schon von meinem Vaterhaus getrennt, mußte irgendwie mein Geld verdienen, war in die mitteldeutschen Aufstände ein bißchen verwickelt gewesen und wurde in Berlin für eineinhalb Jahre Packer in dem berühmten Malik-Verlag, den Wieland Herzfelde zusammen mit seinem Bruder John Heartfield und auch stark mit der Unterstützung des damals in seinem Ruhm auf der aufsteigenden Linie befindlichen George Grosz führte, den ich zufällig kennenlernte, der mich zu den Herzfeldes brachte.

Und da der Mehring, von dem ich einzelne Gedichte gehört habe, gelegentlich auftauchte, muß ich ihn, ich bin ganz sicher, flüchtig kennengelernt haben. Diese Bekanntschaft war aber durchaus flüchtig. Dann kommt eine lange Unterbrechung, die sicherlich ungefähr 5 Jahre gedauert hat, das heißt also von 1922 bis 1927. Inzwischen war ich nicht mehr organisiert in der kommunistischen Partei, ich war überhaupt nie mehr in meinem Leben in einer anderen Partei, lege aber größten Wert immer darauf: ich wäre verdammt gerne in einer kommunistischen Partei, wenn wir eine solche in Deutschland hätten, haben wir leider nicht, denn das, was sich da so nennt, von den kleinen Gruppen abgesehen, das sind eben deutsche Restbestände (offensichtlich sind die Deutschen weder für Revolution noch für die Schaffung revolutionärer Parteien besonders begabt). Dieses hat wahrscheinlich Mehring viel früher gewußt als ich, aber er hat ganz andere Folgerungen gezogen. Während ich in meinem ganzen Leben, na sagen wir mal, ein sehr linker Sozialist geblieben bin, bis zum heutigen Tag, ist Mehring meiner festen Überzeugung nach niemals Sozialist gewesen, sondern, wenn es sowas gibt, ein liberaler Anarchist. Man könnte auch sagen, ein ästhetischer Anarchist, denn der Dadaismus, an dem er beteiligt war – nicht gerade als einer der Schöpfer, so wie Huelsenbeck oder die Leute in Zürich oder so, aber doch sehr lebendig zusammen mit Grosz und auch mit den Herzfeldes, die dann ganz Kommunisten wurden und es bis in ihr Alter blieben. Aber die sind vom Dadaismus zur Politik gekommen, während ich eigentlich der Vermutung Ausdruck geben möchte, daß Walter Mehring in gewisser Hinsicht in seinem ganzen Leben ein wenig Dadaist geblieben ist. Er stellt gerne die

* Das Gespräch mit Axel Eggebrecht führte Eberhard Adamzig am 20. November 1981. Adamzigs Fragen stehen in kursiv.

Wirklichkeit ein bißchen auf den Kopf, um sie ad absurdum zu führen, und das ist ja das alte Dada-Prinzip. Beispiel: der verhältnismäßig bekannte, jetzt wieder greifbare Roman »Paris in Brand«, wo also die skurrilsten Figuren durcheinanderwirbeln und alle politischen Richtungen, die dort dargestellt werden – es ist ja ein hochinteressantes Buch, wenn man will – eigentlich durch den Kakao gezogen werden. Das will ich mal vorausschicken.

Nun also, ich kannte ihn ganz flüchtig und hatte keine rechte Vorstellung, wo der Mann eigentlich stand. Dann gab es seit 1925 die berühmte »Literarische Welt«, eine Wochenzeitung, die sich ausschließlich mit Literatur beschäftigte, herausgegeben von Willy Haas – zuerst war Rowohlt dran, Väterchen Rowohlt, der berühmte alte Rowohlt, mit dem ich lebenslang befreundet war, aber nie zusammen gearbeitet hab', mit Ausnahme der »Literarischen Welt«; und in dieser Zeitschrift war ab und zu auch etwas von Mehring zu lesen und ich habe über Mehring, z. B. über das schon genannte Buch, dort auch was geschrieben.

Ich muß ihn also in dieser geistig-literarisch sehr bewegten Zeit – das sind die berühmten Goldenen Jahre Berlins, die ›roaring twenties‹ oder was für schöne Namen sie alle haben, die ja nur 4 Jahre waren, so von 1924 bis 1929, 5 Jahre vielleicht, dann kam mit der amerikanischen Wirtschaftskatastrophe sofort etwas völlig anderes, eine ganz andere Atmosphäre –, aber in diesen Jahren, den späten 20er Jahren, muß ich ihn öfter getroffen haben. Und zwar sowohl in der Redaktion der »Literarischen Welt« – die damals im gleichen Hause war wie der Rowohlt-Verlag, an der Potsdamer Brücke, da steht nichts mehr davon, später in der Passauer Straße, Querstraße der Tauentzienstraße – und auch in der Wohnung von Rowohlt, wo man ja die Weltliteratur traf, da hat's ja die tollsten Begegnungen gegeben (da kam eben Sinclair Lewis, da kam, was weiß ich, Hemingway, alles, was jetzt gut und teuer war, und da war natürlich Mehring auch dabei.

Ob der Mehring, das wäre wahrscheinlich die nächste, engste, intimste Begegnung gewesen, auch im Hause der Witwe meines heißgeliebten, viel zu früh gestorbenen Mentors – des einzigen Menschen, von dem ich im Leben was gelernt habe – Siegfried Jacobsohn verkehrt hat, wage ich nicht klar zu beantworten. Ich weiß, daß ich dort mit Kesten und Kästner und Joseph Roth zusammengetroffen bin, das war im Grunewald – ich habe anderthalb Jahre das große Glück gehabt. Tucholsky hatte mich zu dem Jacobsohn geschickt, und von 1925 an war ich also Mitarbeiter der »Weltbühne«, bis zu deren Untergang im Jahr 1933 (mein letzter Artikel ist 14 Tage nach der Machtergreifung Hitlers erschienen, einen Monat drauf hatten sie mich schon – und wenn ich den heute lese, dann kann ich nur sagen, das war also alles vollkommen lebensüberdrüssig, was ich da im Dritten Reich schon geschrieben habe –) – aber nun schön zurück.

Da hat die Witwe von Jacobsohn, Edith Jacobsohn, in der Wohnung im Grunewald vier-, fünfmal im Winter so Tee-Nachmittage gegeben, wo Mitarbeiter der »Weltbühne« sich dann trafen. Da war ich des öftern, da muß eigentlich Mehring, wenn er in Berlin war, auch gewesen sein. Er hat ja damals schon sehr viel in Paris gelebt. Er hat sehr früh in Paris gelebt, genauso wie Tucholsky. Mehring und Tucholsky haben sich – und darauf komme ich gleich noch – in Paris offenbar sehr viel gesehen, und Tucholsky hielt von Mehring enorm viel. Man muß, wenn man sich die Beziehung solcher Leute ansieht, ja nun sehr gerecht sein. Tucholsky, glaube ich, hat in Mehring einen, ich möchte sagen, noch begabteren Nachfolger gesehen. Nur ist Tucholsky, aus einer ganzen Reihe von Gründen nach 1945, lange nach seinem Tode, plötzlich ein Millionenautor geworden – die ganze Jugend las in den letzten drei Jahrzehnten Tucholsky, der ist, ich weiß nicht, in drei Millionen Exemplaren verbreitet –, und dies ist ein Punkt, der an Mehring sehr genagt hat, wie ich weiß, denn ich habe das mehrfach erlebt, wir sind ja später, jetzt, nach dem II. Weltkrieg, zusammen gewesen. Er hat, naja, wie soll man das denn nun sagen, mit einem gewissen Recht immerfort den Gedanken genährt, warum der und ich nicht. Das ist ein Faktum, darüber kann man leider nun nicht schweigen. Denn das hat dazu beigetragen, daß er offensichtlich im letzten Drittel seines Lebens ungeheuer gehemmt war, neue Dinge zu schreiben. Er hat ja oft erzählt, daß ihm ganze Koffer mit Manuskripten verloren gegangen sind, er hat auch Dinge noch geschrieben – z. B. dieses Buch, ich weiß gar nicht, wann das entstanden ist, es ist wahrscheinlich in Amerika schon geschrieben, »Die verlorene Bibliothek« –, das fand ich sehr interessant und sehr schön – das waren aber alles, ich meine das nicht abwertend, unpopuläre, esoterische Texte, während er in seiner Jugend Verse geschrieben hat, von denen viele Leute heute nicht mehr wissen, daß sie von ihm sind. (Singt:) »In Hamburg an der Elbe, gleich hinter dem Ozean«, das ist ein Lied, das kennen die Leute hier am Hafen und wissen nicht, und als ich mit Mehring 1950 hier im Fischereirestaurant war und sagte, das ist der Mann, der das geschrieben hat, wurde er ungeheuer gefeiert, beispielsweise. Also, er war ein Mann, der in seinen jüngeren Jahren Dinge formulieren konnte, die Besitz der Allgemeinheit wurden, das ist ihm später aus vielen Gründen nicht mehr gegeben gewesen, das muß man sehen.

Nun, ich habe ihn zuletzt wahrscheinlich gesehen in der Zeit, als ich von 1930 an, wie wir alle, mich hauptsächlich damit beschäftigte, gegen den heraufkommenden Nationalsozialismus zu wirken. Ich wußte, daß er – ich wurde dann früh verhaftet im Dritten Reich –, ich wußte, daß er nach Wien entkommen war, und nun gibt es einen Menschen, der uns wieder verbindet, weil wir ihn beide kannten, das ist Hertha Pauli, die vor vielen Jahren gestorben ist, ich hab sie vor 15 Jahren nochmal getroffen – Hertha Pauli ist diejenige, der die berühmten »Briefe aus der Mitternacht« gewidmet sind. Und über die Zeit, die er nun in Wien, in Amerika und sonstwo verbrachte, will ich jetzt nicht viel erzählen, es gibt darüber sehr viel, ich habe sehr viel Leute gespro-

chen, es gibt auch Punkte, wo man mir gegenüber Mehring sehr ange-
klagt hat, daß er unter Emigranten keine sehr gute Rolle gespielt hat,
ich möchte mich darüber nicht auslassen, weil ich das nicht erlebt
habe, ich habe es nur gehört. Immerhin hat jemand wie Leonhard
Frank, der nicht irgendwer ist, von Mehring nichts wissen wollen, weil
er fand, daß er, naja, er war eben vom Wesen her eigentlich nicht
besonders politisch, daß er sich in der McCarthy-Ära nicht so benom-
men hat wie andere Leute.

Aber das entzieht sich meinem Urteil, ich sage es nur der Vollstän-
digkeit halber, weil das eine gewisse Rolle spielte, als wir uns wieder-
sahen.

Wir sahen uns wieder, nein, ich muß erst noch was anderes sagen.

Der Krieg war vorüber, und aus vielen Gründen wußten die Engländer, was mit mir los war, daß ich das Dritte Reich ungefährdet im
Gewissen und im Kopf überstanden hatte. Sie holten mich bereits im
Juni 1945 – ich war einer der ersten Deutschen, der einen Rundfunk
wieder aufmachte in Deutschland, ich hatte vorher sehr wenig Rundfunk gemacht, als junger Autor in der Weimarer Zeit nahm man dieses
technische Medium nicht so furchtbar ernst, im Dritten Reich hatte
ich mich materiell durchgebracht mit dem Schreiben von Filmdrehbü-
chern, von »Bel ami« und solchen Sachen –, und jetzt holten mich die
Engländer, wollten mich eigentlich zu einer Zeitung schicken, ich
habe nie in einer Redaktion gesessen, ich bin immer freier Schriftsteller gewesen, aber Rundfunk, das wollte ich gerne machen. Das hängt
damit zusammen, daß ich große Rundfunkleute kannte, die inzwischen tot sind. Und an diesem Sender waren dann auch einige deutsche Emigranten, einer war Alexander Maaß, und der brachte mir die
»Briefe aus der Mitternacht« im Herbst 1945. Und da haben wir eine
Riesensendung, eine Art Feature gemacht, wo die einzelnen Verse
abschnittsweise verlesen wurden und zwischendurch Material aus den
Wochenschauen – die Nazis kommen immer näher, rücken in Frankreich vor, wird er noch entkommen, das ist ja der Inhalt dieser Verse –
das war also wirklich ein packendes Tondrama, eine echte Hörfunksendung. Wenn man die nochmal ausgraben könnte! Aber die gibt's
natürlich heut nicht mehr, nach 35 Jahren.

Das war das erste, was ich wieder über Mehring mit mehring'schem
Stoff im Winter 1945/46 gemacht habe. Das habe ich ihm später dann
auch erzählt.

*

In Amerika gehörte Mehring bestimmt nicht zu denjenigen Emigranten, die sich anpaßten oder sich ein neues Leben aufbauen konn-
ten, oder wie immer man das nennen will, oder politisch eine so rigo-
rose Haltung, welche immer, einnahmen, daß sie eben die blieben, die
sie waren. Er war auch da ein Einzelgänger. Und als Einzelgänger in

dem Labyrinth von Urwald in New York kann ich ihn mir schon vorstellen. Was fängt ein deutscher Dichter dort an? Der schreibt dann eben solche Verse, wie er sie geschrieben hat, die eigentlich Abschied von seiner Begabung sind, das liest man auch immer wieder.

Und nun hat er aus dieser Stimmung nie wieder – meiner Meinung nach, ich kann mich irren, es wäre schön, man entdeckte noch was – zurückgefunden zu der freien, fröhlichen, mutigen, frechen, arroganten, aufreizenden Produktivität seiner jüngeren Jahre. Solche Gedichte habe ich dann nie wieder gesehen.

Nun habe ich ihn in Abständen immer wieder gesehen, habe ihn in Ascona gesehen und in Zürich im Hotel Urban, er lebte ja dann meist, wenn's ging, in der Schweiz, Gott sei Dank kriegte er, glaube ich, von der Stadt Berlin eine Rente, eine Restitution, er brauchte nicht mehr zu hungern, aber er war eigentlich immer ergrimmt, daß Brecht, den er als Kommunist verachtete, daß Tucholsky (unverständlicherweise Jahrzehnte nach seinem Tode) zu denen gehörten, die jeder kannte, und ihn kannten eigentlich nur wenige.

Ich habe ihn mehrmals in einer Hörfunksendung gebracht und vor allem in einem Film, den ich im ZDF ungefähr 1967 gemacht hab über die »Weltbühne«. Und da haben wir ihn aus der Schweiz nach Berlin geholt. Da sind wir in dem Café gewesen, in das Ossietzky sich immer zurückzog, wenn er Ruhe haben wollte und seine Artikel schrieb, das lag zwei Häuser neben der späteren »Weltbühne«-Redaktion in der Kantstraße. Dort haben wir Aufnahmen gemacht, damals lebte der letzte Redakteur der »Weltbühne«, als sie von den Nazis kaputtgemacht wurde, Walter Karsch noch, der saß auch dabei. Also wir Alten erinnerten uns an diese Zeit, und dann erzählte er tolle Geschichten. Da gibt es Sachen, die ich jetzt nicht wiederholen möchte, die berühmte Begegnung zwischen Ossietzky und Schleicher, die immer wieder bezweifelt worden ist, er hat sie immer wieder bezeugt, er sei dabei gewesen, ich lasse es dahin gestellt, um ganz ehrlich zu sein, völlig geglaubt habe ich es ihm nicht, sie war zu gut erfunden. Aber bitte, daß der Schleicher zu Ossietzky kam und ihm seinen Paß gab, nachdem er vom Reichsgericht verurteilt worden war und sagte, ich glaube: »Sie müßten sich ein bißchen in der Schweiz erholen.« Ossietzky gab ihm den Paß zurück und sagte »Nein«, denn er wollte nicht ins Ausland fliehen.

Wie gesagt, wir haben uns dort in Berlin gesehen, wir haben uns hier gesehen, 1967/68 war das. Und dann haben wir natürlich auch mal Briefe gewechselt, dann gab es Sendungen, wo irgendwas zusammengeschnitten war, dann hat er geschrieben, jetzt sind wir mal wieder zusammen gewesen, das heißt, ein dünner Faden riß nie ganz ab. Und natürlich habe ich mich ungeheuer gefreut für ihn, daß er noch den Beginn der Ausgabe seiner Werke im Claassen-Verlag erlebt hat, da haben wir uns auch noch geschrieben, und da habe ich nochmal eben über den Roman »Paris in Brand« geschrieben.

Kurz und gut, er war ja 3½ Jahr älter als ich, er ist 85 geworden, das hat er noch erlebt, denn ich war noch eingeladen zu seinem 85. Geburtstag, da machte das Schauspielhaus in Zürich irgendeine Feier.

Ja, das ist so ungefähr der Gang unserer Bekanntschaft.

Mehrings politische Postion ist verkürzt u. a. in dem Satz enthalten: »Der Staat ist eine Verschwörung gegen das Individuum.« Was sagen Sie als Sozialist zu dieser Position?

Ja, das ist natürlich reiner Anarchismus im wirklichen, buchstäblichen Sinn des Wortes. Man muß den Menschen klar machen, Anarchismus heißt nicht Bomben schmeißen. An-Archie – Herrschaftslosigkeit, das ist ein Wunsch von altersher, und ich glaube, das steckt in fast jedem Menschen. Ich bin mir völlig darüber im Klaren, daß auch in mir ein bißchen von diesen Dingen steckt, aber ich habe so viele politische Erfahrungen machen müssen in diesem ereignisreichen Jahrhundert, daß ich Abstriche mache und eben aus politischer Vernunft nicht immer dieser Sehnsucht nachgebe. Mehring war, ich habe es schon gesagt, eigentlich kein politischer Mensch, ein politisch aktiver Typ, er war ein Revoluzzer, ein Rebell, aber kein Revolutionär, wenn man so will. Sozialist war er bestimmt nie.

Sie äußern sich in Ihrem Buch »Volk ans Gewehr« begeistert über die, so schreiben Sie, »blitzenden Attacken von Tucholsky und Mehring, vorgebracht von Rosa Valetti, Trude Hesterberg und Kurt Geron« in den verschiedenen politischen Kabaretts. Wie schätzen Sie Mehrings Popularität in den 20er Jahren ein?

Die war recht groß, mindestens genauso groß wie die von Tucholsky. Er hat ja natürlich viel weniger geschrieben als Tucholsky, Tucholsky war ja von einer geradezu unbegreiflichen Produktivität, wie man heute weiß, aber es gibt eben von ihm Sachen, die sind heute noch populär, weil sie eben in einem Ton geschrieben, gedichtet worden sind, die jeder Mensch ohne weiteres versteht. Da gibt es Verse über Berlin, die so einleuchtend sind wie z. B. Tucholskys »General, General, wag es nicht noch einmal«. Anfang der 20er Jahre hat das jeder verstanden nach dem Krieg, und so verstand man gewisse, ein bißchen romantischere Verse von Mehring eben auch. Und daß sie heute noch populär sind, ist ja ein Beweis dafür. Dieser Seemannschoral, den die Leute in St. Pauli heute da am Fischereihafen noch kennen! Und die haben keine Ahnung, von wem das ist. Als ich mit ihm dort gewesen bin und wir dort im Fischereirestaurant aßen, sagte ich: das ist der Mann, da haben sie gestaunt und da kriegte er gleich irgendwelche Schnäpse und ich weiß nicht was.

Können Sie die Atmosphäre dieser Kabaretts im Berlin der 20er Jahre beschreiben, wie Sie sie erlebt haben?

Ja, die spielten natürlich eine außerordentlich politische Rolle, und das mag mit beigetragen haben zu dem Mißverständnis, daß man Mehring für einen bewußt zielenden politischen Dichter hielt. Diese Kabaretts waren samt und sonders scharf links. Leute wie Trude Hesterberg, Kate Kühl, die große Interpretin von Tucholsky, oder

Rosa Valetti und ihr Bruder Hermann Valentin, die haben eben politisches Kabarett gemacht in einem wesentlich schärferen Sinn als nach dem Krieg hier »Lach- und Schießgesellschaft« und »Kommödchen«. Die haben das nie erreicht. Diese Attackenschärfe hing natürlich damit zusammen, daß die Weimarer Republik auf wackligem Boden stand von vornherein und derart von rechts bedroht war, daß man sagen kann, es war gar keine Republik, es war nur die Fassade einer solchen. Man muß doch mal bedenken, Beamte, Richter, Militärs, besonders eben die Justiz und die ganzen Universitäten waren von vornherein gegen den Staat, die wollten ihn nicht haben. Das sind Dinge, die man sich heute gar nicht mehr vorstellen kann. Es ist im Grunde ein Wunder, daß das von 1918 bis 1933 gehalten hat. Und das wußte man z. B. in der »Weltbühne«, z. B. in diesen Kabaretts, das waren also Zentren des Widerstandes gegen die Reaktion, die wirklich eine Reaktion war in dem Sinne: »Wir wollen unsern Kaiser wieder haben.« Als Hindenburg 1925 Präsident wurde, da dachte ein großer Teil des Volkes, na, nächstes Jahr kommt der Kaiser wieder, so ungefähr. Das kam nun nicht, es kam was viel Schlimmeres, es kam Hitler. Aber das ist eine Sache für sich. Solange das amerikanische Geld noch kam, bis 1929, da hielt die Republik so leidlich, naja, und dann ging es dem Ende zu.

Gibt es in ihren Augen heute einen Walter Mehring vergleichbaren Liedermacher oder Kabarettschreiber?

Nein, überhaupt nicht. Die heutigen Leute sind vollkommen anders. Ich möchte jetzt nicht auf einzelne eingehen, ich kenne natürlich eine Anzahl von ihnen, ich will auch nicht sagen, welche ich mag und welche ich nicht mag und warum nicht, aber sie sind kaum zu vergleichen. Die Fronten damals waren viel klarer. Es war eine Zeit des harten Kampfes rechts gegen links. Und das haben wir in dieser Form überhaupt nicht mehr. Wir haben ganz andere Auseinandersetzungen. Es ist hochinteressant, daß jetzt die Alternativen und Grünen eine solche Rolle spielen, das ist sehr repräsentativ für unsere politische Lage. Damals standen sich eben wirklich ultralinks und ultrarechts gegenüber bis zur Saalschlacht und schließlich bis zum KZ. Das ist heute alles anders. Und das äußert sich natürlich auch in der damaligen und in der heutigen aggressiv-kabarettistischen Lyrik, das ist ganz klar.

Was würden Sie einem jungen Menschen sagen, der bekennt, Walter Mehring sei ihm völlig unbekannt.

Dann nehmen Sie sich mal die neue Ausgabe vor oder dies oder das daraus, vielleicht fragen Sie mich, was Sie lesen sollen, da gibt es ja sehr verschiedene Dinge. Aber zweifellos gehört er zu den 10 oder 15 Leuten, die in meinem Leben gelebt haben, die man eigentlich kennen sollte. Er hat auch jungen Leuten noch etwas zu sagen. Das ist gar keine Frage. Bei all dem, was mich vielleicht von ihm trennt, weiß ich, daß solche Begabungen nicht eben jeden Tag wachsen, das ist doch ganz klar.

Was trennt Sie von Walter Mehring?

Die Basis seiner ganzen Persönlichkeit, sie ist eine völlig andere. Obwohl ich mich vom organisierten Kommunismus getrennt habe, mache ich z. B. heute für einzelne Politiker, von denen ich glaube, daß sie wichtig sind, Wahlkampf. Das würde er nie machen. Er negiert den Staat, ich möchte den Staat reformieren, das ist ein Unterschied, der das ganze Leben prägt, fürchte ich. Und wenn man so alt ist, wie wir beide, da ändert man sich darin auch nicht mehr. Und umso klarer habe ich natürlich allmählich erfaßt, wo der Grund liegt, daß es Dinge gab, die mir an ihm fremd waren, um es mal so zu sagen. Ich verurteile sie deshalb nicht, ich hoffe, daß ich das auch in dem, was ich hier gesagt hab, nicht gerade so ausgedrückt habe, daß ich ihn damit madig machen will. Er ist ein anders gebauter Mensch gewesen, ganz ohne jede Frage, und das muß man ja auch mal offen sagen dürfen.

Mir fällt auf, als ich das Buch »Der halbe Weg« von Ihnen gelesen habe, daß Sie eine sehr einfache und schlichte Sprache schreiben, wohingegen z. B. W. Mehring in seiner »Verlorenen Bibliothek« eine hoch artifizielle Sprache pflegt.

Da ist einiges bewußt mit am Werk. Es gibt ein Buch von mir, das ist 54 Jahre alt, mein erstes Buch, wenn Sie da einige Prosastücke drin lesen, die sind sehr viel mehr Wort für Wort durchgearbeitet. Ich bin im Laufe meines Lebens dahin gekommen, einer literarischen Überanstrengung zu mißtrauen. Für mich ist die Sprache, je älter ich werde, umso eindeutiger ein Mittel der Verständigung zwischen Mensch und Mensch. Und da ich nun sehr viel unter Menschen aus den verschiedensten Verhältnissen gelebt habe, unter Menschen, denen die Vertrautheit mit der Sprache nicht so gegeben ist wie unsereinem, habe ich mich allmählich bemüht, möglichst klar und einfach zu schreiben.

Als Mehring 1953 in die Bundesrepublik zurückgekehrt war, äußerte er sich resigniert: »Ich schreibe, und ich werde kein Atom verändern.« Wie erklären Sie sich diese Aussage, und stimmt diese Aussage auch für Ihre eigene publizistische Tätigkeit?

Das zweite natürlich überhaupt nicht. Ich halte es da mit Bernhard Shaw, der einmal gesagt hat, ich habe keine Zeile um des Schreibens willen geschrieben. Ein berühmter Satz, der allein mich zum Freund vom alten Bernhard Shaw gemacht hätte. Die Vorstellung »ich werde kein Atom verändern« – das kommt mir so vor wie die furchtbar pessimistischen Leute, die immer sagen, ich hasse das Leben, wozu lebe ich. Da kann ich nur sagen, ja, dann bring dich um. Ich liebe das Leben sehr, ich möchte das Leben etwas verbessern, nicht nur mein eigenes, das in allen Gefahren und Nöten ja immer leidlich war, nein, ich möchte das Leben der Menschen generell verbessern, ich glaube sogar, daß der Gang der Geschichte, wenn uns die Atomkatastrophe nicht dazwischen haut, ganz, ganz langsam doch eine leise Verbesserung bringt. Das ließe sich nachweisen, das ist ein langes Thema. Aber ich glaube, daß dies Probleme sind, die eben individual-anarchistisch denkende Menschen wie Mehring gar nicht interessieren. Und das ist natürlich etwas, was ich erst sehr spät erkannt habe bei ihm. In den

20er Jahren, da gehörte er, mit seinen sehr wirkungsvollen Sachen, zu der Atmosphäre, in der unsereiner sich bewegte. Dreißig, fünfunddreißig Jahre später, mit der ganzen dazwischen liegenden fürchterlichen Nazigeschichte, da erkannte man dann sehr viel schärfer, wer ein Kämpfer war und wer nur ein Betrachter. Und ich muß sagen, in einem Augenblick, wo die Welt in Gefahr ist, wirklich durch Dummheit, Leichtsinn, vielleicht auch nur durch ein Versehen, wie wir neuerdings wissen, total kaputtzugehen, ist es eigentlich die Pflicht derer, die zum Betrachten geeignet sind – also beispielsweise der Philosophen, der Juristen, der Ärzte, aber eben auch der Schriftsteller, sich eine Aufgabe vor Augen zu halten, und sei sie noch so klein. Ich glaube, das hat uns dann sehr getrennt. Als er gefragt wurde, was würden Sie tun, wenn morgen die Welt untergeht, sagte er: »Ein Bäumchen pflanzen.« Er hat ja auch seine Bäumchen noch weiter gepflanzt, warum, weiß ich nicht, weil er begabt war, weil er schreiben mußte. Aber seine Erklärung, warum er schreibt, wozu er schreibt, was er über sein Schreiben denkt, die kann ich nicht akzeptieren.

Eberhard Adamzig

Lebens- und Werkchronik
Walter Mehrings

1896 *– 29. April*	Geburt in Berlin. Sohn des Redakteurs Sigmar Mehring (geb. am 17. 2. 1856, gest. 1915) und Hedwig Löwenstein (Mädchenname) bzw. Stein (Künstlername). Franzosenfreundliches, jüdisches Elternhaus.
1914	Nach dem Abitur (extern) am kgl. Wilhelm-Gymnasium Studium der Kunstgeschichte in Berlin/München.
1916 *– Februar*	Erste Veröffentlichung in »Der Sturm« (Herwarth Walden). Einberufung (Dezember).
1918	Anschluß an die Berliner Dada-Bewegung
1919 *– Dezember*	Mitarbeit an verschiedenen Dada-Zeitschriften. Eröffnung des »Schall und Rauch« (Max Reinhardt) u. a. mit Mehrings Puppenspiel »Einfach klassisch! Eine Orestie mit glücklichem Ausgang«.
1920	Erste Buchveröffentlichung »Das politische Cabaret«.
1920 bis 1924 u. *1929 bis 1933*	Mitarbeit an der »Weltbühne« (Siegfried Jacobsohn bzw. Carl von Ossietzky)
1921	Buchpublikation »Das Ketzerbrevier«. Trude Hesterberg engagiert Mehring für ihre »Wilde Bühne« als Hausautor.
1922	Aufenthalte in Paris
1923	Buchpublikation »Wedding-Montmerte«
1924	Buchpublikationen »In Menschenhaut – Um Menschenhaut – Um Menschenhaut herum«; »Europäische Nächte«; »Schnurrige, knurrige ... trollatische Geschichten ... « (Übersetzung der »Les cent contes drôlatiques ... « von Honoré de Balzac); Pottier/Clement: »Französische Revolutionslieder« (Übersetzung). Reise nach England. Mehring übersiedelt nach Paris.

1925	Buchpublikationen »Westnordwestviertelwest«; »Neubestelltes Abenteuerliches Tierhaus«. Kontakt zu Rainer Maria Rilke.
1925 bis 1928	Mitarbeit am »Tagebuch« (Leopold Schwarzschild).
1926	Reise nach Nordafrika. Mitglied der ›Gruppe 1925‹.
1927	Buchpublikationen »Paris in Brand«; »Algier oder Die 13 Oasenwunder«. »Algier« wird unter dem Titel »Sahara« als vierteilige Hörbildfolge im Berliner Rundfunk ausgestrahlt.
1928	Rückkehr nach Berlin. Mitglied des PEN-Club.
1929	Buchpublikationen »Die Gedichte, Lieder und Chansons des Walter Mehring«; »Der Kaufmann von Berlin«.
– 6. September	Uraufführung des »Kaufmann von Berlin«, der bis zum 15. Oktober gespielt wird (32 Aufführungen, Regie: Erwin Piscator).
1930	Gründungsmitglied der ›Gruppe revolutionärer Pazifisten‹.
1931	Buchpublikation »Arche Noah SOS«. Der Film »Das Lied vom Leben« von Alexander Granowski mit Texten von Mehring wird mit 47 Zensurschnitten faktisch verboten.
– Frühsommer	Aufenthalt in der jungen Republik Spanien.
Ende 1932	Das Drama »Die höllische Komödie« wird in Leipzig von den Proben abgesetzt.
1933 *– 30. Januar*	Hitler wird Reichskanzler. Letzte Begegnung Mehrings mit Erich Mühsam.
– 27. Februar	Reichstagsbrand. Mehring rät Carl von Ossietzky und Hellmut von Gerlach vergeblich, Bertolt Brecht und Helene Weigel erfolgreich zur Flucht. Flieht selbst am Abend mit dem Zug nach Paris.
– 7. März	Von Mehring erscheint der letzte Beitrag in der letzten Nummer der »Weltbühne«.
– 1. Juni	Die erste Nummer der Exilzeitschrift »Das Neue Tagebuch« (Leopold Schwarzschild) erscheint. Von da ab veröffentlicht Mehring fast wöchentlich einen Beitrag.
– 14. Juni	Das Ausbürgerungsgesetz wird erlassen.

– August	Mehring wird von seiner Mutter in Paris besucht; vermutlich das letzte Zusammentreffen; seine Mutter wird später, wie er in New York vom Roten Kreuz erfährt, im KZ Auschwitz ermordet.
1934	Buchpublikation »Und Euch zum Trotz«. Mehring schreibt sporadisch für verschiedene Exilzeitschriften.
– 10. Juli	Erich Mühsam wird im KZ Oranienburg ermordet.
1934 bis 1938	Mehring lebt vorwiegend in Wien.
1935	Buchpublikation »Müller. Chronik einer deutschen Sippe von Tacitus bis Hitler«.
– 8. Juni	Mehring steht, zusammen mit Brecht u. a., auf der 2. Ausbürgerungsliste.
– 21. Dezember	Kurt Tucholsky begeht Selbstmord.
1937	Buchpublikation »Die Nacht des Tyrannen«. Vermutlich in diesem Jahr werden Mehring Teile der Bibliothek seines Vaters nach Wien geliefert mit Hilfe des Presse-Attachés an der tschechoslowakischen Gesandtschaft in Berlin, Camill Hoffmann.
1938	Einmarsch der deutschen Truppen in Österreich.
– 13. März	Mehring flieht nach Paris. Zusammen mit Hertha Pauli und Ödön von Horváth Quartier in dem Hotel de l'Univers.
– 4. Mai	Carl von Ossietzky stirbt an den Folgen der KZ-Haft.
– 1. Juni	Tod von Ödön von Horváth.
– 7. Juni	Mehring hält auf der Beerdigungsfeier Horváths eine kurze Rede. Anwesend u. a. Erwin Piscator, Franz Werfel, Carl Zuckmayer, Hermann Kesten.
1939	
– 22. Mai	Ernst Toller begeht Selbstmord.
– 27. Mai	Tod von Joseph Roth.
– 2. Juni	Mehring veröffentlicht in der Zeitschrift »Die Zukunft« die Erinnerung »Mein Freund Ernst Toller«.
– 1. September	Mit dem deutschen Angriff auf Polen beginnt der Zweite Weltkrieg.
– Herbst/ Winter	Mehring wird, zusammen mit ca. 300 Emigranten, als ›feindlicher Staatenloser‹ im Camp de Falaise (Normandie) festgehalten.

1940
- **Februar**   Entlassung aus dem Camp de Falaise.
- **14. Juni**   Einmarsch der deutschen Truppen in Paris. Ernst Weiss begeht Selbstmord. Mehring flieht, zusammen mit Hertha Pauli, quer durch Frankreich in Richtung Marseille.
- **21. Juni**   Walter Hasenclever begeht Selbstmord.
- **5. Juli**   Carl Einstein begeht Selbstmord.
- **Sept./Okt.**   Mehring wird im Lager St. Cyprien interniert.
- **November**   Entlassung, vermutlich mit Hilfe des amerikanischen Journalisten Varian Fry vom »American Rescue Comitte«.

1940/41   Es entsteht der 10. Mitternachtsbrief, Mehrings Erin-
- **Silvester**   nerung an seine verstorbenen Freunde.

1941   Varian Fry beschafft Mehring ein Ausreisevisum.
- **3. Februar**   Überfahrt mit der ›Wyoming‹.
- **21. Februar**   Ankunft auf der Insel La Martinique.
- **26. Februar**   Weiterflug nach Miami.
- **Juni 1941**   Mehring verdingt sich mit Filmdrehbucharbeiten bei
bis April 1942   Metro Goldwyn Mayer. In der Zeit seines 12jährigen USA-Exils schreibt er unregelmäßig für »The Nation«, »Aufbau-Reconstruction«, »New York Times«, »Book-Times«, »Reporter«, »The American Scolar«. In dieser Zeit entstehen knapp dreißig Gedichte.
- **15. November** Künstlerabend des deutsch-jüdischen Clubs ›New World Club‹ u. a. mit Blandine Ebinger, Bruno Frank, Fritz Kortner, Walter Mehring.

1942   Buchpublikation »Timoshenko. Marshal of the Red Army«. Innerhalb der Sendereihe »We Fight Back« zwei Hörspiele: »Das Dreigestrichene Fis«; »Der Freiheitssender«. Mehring lebt in New York.
- **24. Januar**   2. Künstlerabend des ›New World Club‹ u. a. mit Mehring.

1943   Heirat mit der französischen Malerin Marie-Paule Tessier.
- **April**   Veranstaltung der Gruppe ›We Fight Back‹ u. a. mit dem Hörspiel »They Burned the Books« von Stephen Vincent Benet in der szenischen deutschen Bearbeitung von Mehring.

1944   Buchpublikation »No Road Back – Kein Weg zurück«.

1945 bis 1949   Mehring lebt am Rand des Existenzminimums und ist besonders auf die Hilfe von George Grosz angewiesen.

1950
– Juli   Mehring zum ersten Mal seit 1933 wieder in Berlin. Besuch des Kongresses für kulturelle Freiheit.

1951   Buchpublikation »The Lost Library« in New York und London. Verkaufserfolg in den USA.

1952   Buchpublikation »Die Verlorene Bibliothek« als deutsche Erstausgabe.

1953
– 26. Februar   Mehring kehrt aus dem USA-Exil in die Bundesrepublik zurück.

1953 bis 1955   Verschiedentliche, kaum beachtete Lesungen und Rundfunkinterviews. Aufenthalte in Hamburg, Berlin, München.

1956   Friedrich Dürrenmatt in seiner Gratulation zu Mehrings 60. Geburtstag: *Die Menschen wollen ihre Untergänge entweder besungen haben oder vergessen.*

1957
– März   Deutsche Uraufführung des von Mehring übersetzten Stücks »Le mal court« (»Der Lauf des Bösen«) von Jacques Audiberti in Essen.

1958   Buchpublikationen »Verrufene Malerei«; »Der Zeitpuls fliegt«.

1958 bis
ca. 1964   Mehring lebt in Ascona/Tessin.

1959   Buchpublikationen »Berlin Dada«; »Morgenlied eines Gepäckträgers«.

1961   Mehring wird korrespondierendes Mitglied der Deutschen Akademie für Sprache und Dichtung.

1962   Buchpublikation »Neues Ketzerbrevier«. Mit dem Hinweis, er wolle sich nicht von der DDR vereinnahmen lassen, lehnt Mehring das mit 5000,– DM verbundene Angebot des Ostberliner Aufbau-Verlages ab, die Müller-Chronik zu verlegen.

1963/64   Gelegentliche Veröffentlichungen in Zeitschriften, meist Erinnerungen an die 20er Jahre; sporadisch Lesungen, einige Rundfunksendungen über ihn.

1965 – *21. Januar*	Buchpublikation »Kleines Lumpenbrevier«. Mehring bezieht in München ein Zimmer im Hotel ›Blaues Haus‹, wohnt dort bis ca. März 1966. Gespräche mit dem Verleger Kreisselmeier.
1966 – *ab März*	Unregelmäßig Aufenthalte in Ascona und München.
– *29. April*	Der 70. Geburtstag wird von den Medien mit Aufmerksamkeit registriert.
– *23. Okt.*	Der Saarländische Rundfunk beginnt eine zehnteilige Sendefolge der Müller-Chronik.
1967	Fontanepreis
1971	Umzug nach Zürich ins Hotel ›Florhof‹.
1973	Mehring in einem Interview: *Ich bin kein vergessener, ich bin ein ungedruckter Autor.*
1974	Buchpublikation »Großes Ketzerbrevier. Die Kunst der lyrischen Fuge«, nach eigener Aussage sein *Testament, die Summe meiner lyrischen Erfahrungen vor dem Zeithintergrund zweier Weltkriege, eines tausendjährigen Reiches und endloser Jahre des Exils.* Mehring verfaßt sein vermutlich letztes Gedicht »postum«.
1975	Übersiedlung nach München.
1976 – *Januar*	Mehring kommt mit vereiterter Lunge nach Zürich ins Krankenhaus und wird operiert.
– *29. April*	Der 80. Geburtstag wird in den Medien ausführlich gewürdigt.
– *August*	Verleihung des Titels ›Professor ehrenhalber‹ durch den Berliner Senat, laut Mehring *der billigste Preis, den man mir verleihen konnte.*
1977	Großes Bundesverdienstkreuz.
– *17. Juni*	Tod von Marie-Paule Mehring, geb. Tessier.
1978	Beginn der Edition der Walter-Mehring-Werke (auf zwölf Bände angelegt).
– *Januar*	Mehring in Berlin, um sich das »Lumpenbrevier« der ›Tribüne‹ anzusehen.

1979	Buchpublikation »Wir müssen weiter«; »Die höllische Komödie. Drei Dramen«. Für die Berliner Festspiele inszeniert Rainer Behrend den »Kaufmann von Berlin«, die zweite Aufführung seit 1929.
1980	Buchpublikation »Paris in Brand«, »Westnordwestviertelwest/Algier oder Die 13 Oasenwunder«.
– April	Verlegung in das Pflegeheim ›Erlenhof‹ in Zürich mit Thrombose in beiden Beinen.
1981	Buchpublikation »Chronik der Lustbarkeiten«; »Staatenlos im Nirgendwo« (die Gedichte zum ersten Mal gesammelt).
– 29. April	Zum 85. Geburtstag veranstaltet die Stadt Zürich eine öffentliche Feier.
– 3. Oktober	Mehring stirbt um 4 Uhr in Zürich.
– 8. Dezember	Walter-Mehring-Gedächtnisfeier in Zürich.

Christoph Buchwald

Bibliographie zu Walter Mehring

I. Werkverzeichnis

1. Versbände

Das politische Cabaret. Chansons, Songs, Couplets. Umschlagbild und Zeichnungen von W. Mehring. Dresden: Kaemmerer Verlag 1920.

Das Ketzerbrevier. München: Kurt Wolff Verlag 1921.

Wedding-Montmerte. Berlin: A. R. Meyer Verlag 1923.

Europäische Nächte. Eine Revue in drei Akten und zwanzig Bildern. Umschlagbild und Zeichnungen von W. Mehring. Berlin: Elena Gottschalk Verlag 1924.

Die Gedichte, Lieder und Chansons des Walter Mehring. Berlin: S. Fischer Verlag 1929.

Arche Noah SOS. Neues trostreiches Liederbuch von Walter Mehring. Berlin: S. Fischer Verlag 1931.

Und Euch zum Trotz. Chansons, Balladen, Legenden. Umschlagbild und Zeichnungen von W. Mehring. Paris: Europäischer Merkur 1934.

No Road Back. Englisch-deutsch, übertragen von S. A. De Witt. New York: Samuel Curl 1944.

Arche Noah SOS. Neue und alte Gedichte, Lieder und Chansons. Hamburg: Rowohlt Hamburg 1951.

Der Zeitpuls fliegt! Chansons, Gedichte, Prosa. Mit einem Nachwort von Willy Haas. Reinbek: Rowohlt Taschenbuch Verlag 1958.

Morgenlied eines Gepäckträgers. Herausgegeben und mit einem Nachwort von Friedrich Rasche. Zeichnungen von W. Mehring. Hannover: Fackelträger Verlag 1959.

Neues Ketzerbrevier. Balladen und Songs. Köln/Berlin: Verlag Kiepenheuer & Witsch 1962. – München: Deutscher Taschenbuch Verlag 1966.

Kleines Lumpenbrevier. Gossenhauer und Gassenkantaten. Zeichnungen von W. Mehring. Zürich: Verlag Die Arche 1965.

Briefe aus der Mitternacht 1937–1941. Heidelberg: Verlag Lambert Schneider 1971.

Großes Ketzerbrevier. Die Kunst der lyrischen Fuge. Mit einem Nachwort von Richard Friedenthal. München/Berlin: F. A. Herbigsche Verlagsbuchhandlung 1974. – München: Deutscher Taschenbuch Verlag 1975.

Chronik der Lustbarkeiten. Die Gedichte, Lieder und Chansons 1918–1933. Herausgegeben und mit einem Nachwort von Christoph Buchwald. (Band VII der Walter Mehring Werke). Düsseldorf: Claassen Verlag 1981.

Staatenlos im Nirgendwo. Die Gedichte, Lieder und Chansons 1933–1974. Herausgegeben und mit einem Nachwort von Christoph Buchwald. (Band VIII der Walter Mehring Werke). Düsseldorf: Claassen Verlag 1981.

2. Prosabände

In Menschenhaut – Um Menschenhaut – Um Menschenhaut herum. Phantastika. Potsdam: Gustav Kiepenheuer Verlag 1924. – Berlin/Darmstadt: Agora Verlag 1977.

Westnordwestviertelwest oder Über die Technik des Seereisens. Umschlagbild und Zeichnungen von W. Mehring. Berlin: Elena Gottschalk Verlag 1925.

Algier oder Die 13 Oasenwunder / Westnordwestviertelwest. Zwei Novellen. Herausgegeben und mit einem Nachwort von Christoph Buchwald. (Band VI der Walter Mehring Werke). Düsseldorf: Claassen Verlag 1980. – Taschenbuchausgabe der Walter Mehring Werke, Band VI. Frankfurt/M. – Berlin–Wien: Verlag Ullstein 1982.

Neubestelltes abenteuerliches Tierhaus. Eine Zoologie des Aberglaubens, der Mystik und Mythologie vom Mittelalter bis auf unsere Zeit. Potsdam: Gustav Kiepenheuer Verlag 1925.

Paris in Brand. Roman. Berlin: Verlag Th. Knaur Nachf. 1927. – Berlin: Universum-Bücherei 1931. – Herausgegeben und mit einem Nachwort von Christoph Buchwald. (Band V der Walter Mehring Werke). Düsseldorf: Claassen Verlag 1979. – Taschenbuchausgabe der Walter Mehring

Werke, Band V. Frankfurt/M.–Berlin––Wien: Verlag Ullstein 1981.
Algier oder Die 13 Oasenwunder. Umschlag und Zeichnungen von Walter Mehring. Berlin: Verlag Die Schmiede 1927. – Faksimile-Nachdruck. Icking/München: Kreisselmeier Verlag 1965.
Algier oder Die 13 Oasenwunder / Westnordwestviertelwest. Zwei Novellen. Herausgegeben und mit einem Nachwort von Christoph Buchwald. (Band VI der Walter Mehring Werke). Düsseldorf: Claassen Verlag 1980. – Taschenbuchausgabe der Walter Mehring Werke, Band VI. Frankfurt/M.–Berlin–Wien: Verlag Ullstein 1982.
Müller. Chronik einer deutschen Sippe von Tacitus bis Hitler. Roman. Wien: Gsur Verlag 1935.
Müller. Chronik eines teutschen Stammbaums. Hannover: Verlag für Literatur und Zeitgeschehen 1960.
Müller. Chronik einer deutschen Sippe. Hannover: Fackelträger Verlag 1971. – Herausgegeben von Christoph Buchwald. (Band II der Walter Mehring Werke). Düsseldorf: Claassen Verlag 1978. – Taschenbuchausgabe der Walter Mehring Werke, Band II. Frankfurt/M.–Berlin–Wien: Verlag Ullstein 1980.
Die Nacht des Tyrannen. Roman. Zürich: Verlag Oprecht 1937. – Herausgegeben und mit einem Nachwort von Christoph Buchwald (Band X der Walter Mehring Werke). Düsseldorf: Claassen Verlag 1984.
Timoshenko. Marshall of the Red Army. A Study by Walter Mehring. New York: Albert Unger 1942.
The Lost Library. The Autobiography of a Culture. Translated by Richard and Clara Winston. Indianapolis/New York: The Bobbs-Merrill Company 1951. – London: Secker & Warburg 1951.
Die verlorene Bibliothek. Autobiographie einer Kultur. Hamburg: Rowohlt Verlag 1952. – Erweiterte und revidierte Neuausgabe. Icking/München: Kreisselmeier Verlag 1964. – Taschenbuchausgabe der Kreisselmeier-Ausgabe. München: Wilhelm Heyne Verlag 1972. – Herausgegeben von Christoph Buchwald. (Band I der Walter Mehring Werke). Düsseldorf: Claassen Verlag 1978. – Taschenbuchausgabe der Walter Mehring Werke, Band I. Frankfurt/M.–Berlin–Wien: Verlag Ullstein 1980.
Verrufene Malerei. Von Malern, Kennern und Sammlern. Zürich: Diogenes Verlag 1958. – Die Geburtsjahre der modernen Malerei – geschildert von einem, der dabei war. (Taschenbuchausgabe der Diogenes-Ausgabe). München: Wilhelm Heyne Verlag 1965.

Verrufene Malerei / Berlin Dada. Erinnerungen eines Zeitgenossen. Herausgegeben und mit einem Nachwort von Christoph Buchwald. (Band IX der Walter Mehring Werke). Düsseldorf: Claassen Verlag 1983.
Berlin Dada. Erinnerungen. Zürich: Verlag der Arche 1959.
Wir müssen weiter. Fragmente aus dem Exil. Herausgegeben und mit einem Nachwort von Christoph Buchwald. (Band III der Walter Mehring Werke). Düsseldorf: Claassen Verlag 1979. – Taschenbuchausgabe der Walter Mehring Werke, Band III. Frankfurt/M.–Berlin––Wien: Verlag Ullstein 1981.

3. Dramenbände

Einfach klassisch! Eine Orestie mit glücklichem Ausgang von Walter Mehring. Berlin: Adolph Fürstner Verlag 1919.
Der Kaufmann von Berlin. Ein historisches Schauspiel aus der deutschen Inflation. Berlin: S. Fischer Verlag 1929
Die höllische Komödie. Drei Dramen. Die Frühe der Städte / Die höllische Komödie / Der Kaufmann von Berlin. Herausgegeben von Christoph Buchwald. (Band IV der Walter Mehring Werke). Düsseldorf: Claassen Verlag 1979. – Taschenbuchausgabe der Walter Mehring Werke, Band IV. Frankfurt/M.–Berlin–Wien: Verlag Ullstein 1981.

4. Übersetzungen

Schnurrige, knurrige, affentheuerliche und pantagreulliche, emphatische, exstatische, doch nit dogmatische, sondern trollatische Geschichten, auch Contes drolatiques genennet, und gesammlet in Tourähner abteyen, ans Licht gebracht durch Sieur de Balzac … zum ersten in eynem Urväter-modell vergossen … so Fischartlich travestiert. Berlin: Rowohlt Verlag 1924. – Hamburg: Rowohlt Verlag 1954
Pottier und Clément: Französische Revolutionslieder. Aus der Zeit der Pariser Commune. Übertragen und eingeleitet von Walter Mehring. Berlin: Der Malik-Verlag 1924. – Reprint in der ›kleinen Malik-Bücherei‹, Band 1. Königstein/Ts.: Athenäum Verlag 1981.

Christoph Buchwald

II. Sekundärliteratur

Auswahl

1 Panter, Peter: »Das neue Lied«.
In: Die Weltbühne, 25. 11. 1920.
2 Zarek, Otto: »Vortragsabend Walter
Mehring«.
In: Berliner Börsen-Courier, 27. 1. 1923.
3 E. E. S.: »Das Ketzerbrevier«.
In: Zeitschrift für Bücherfreunde, Jan./
Febr. 1923.
4 Schierling, Lucius: »Walter Mehrings
›Trollatische Geschichten‹«.
In: Das Tagebuch, 4. 4. 1925.
5 Herrmann-Neiße, Max: »Walter Mehrings Prosa«.
In: Die neue Bücherschau, Heft 5, 1925.
6 Rein, Leo: »Westnordwestviertelwest
oder über die Technik des Seereisens«.
In: Die Literatur 1925/26.
7 Pinthus, Kurt: »Walter Mehring: Algier
oder Die 13 Oasenwunder«.
In: Das Tagebuch, 4. 6. 1927.
8 Essad-Bey: »Walter Mehring: Algier
oder Die 13 Oasenwunder«.
In: Die literarische Welt, Nr. 22, 1927.
9 Poritzky, J. E.: »Algier oder Die 13 Oasenwunder«.
In: Die Litertatur, 1927/28.
10 Poritzky, J. E.: »Paris in Brand«.
In: Die Literatur 1927/28.
11 Engel, Fritz: »Erster Roman. ›Paris in
Brand‹ von Walter Mehring«.
In: Berliner Tageblatt, 13. 1. 1928.
12 Eggebrecht, Axel: »Walter Mehring:
Paris in Brand«.
In: Die literarische Welt, 27. 1. 1928.
13 Panter, Peter: »Auf dem Nachttisch«.
In: Die Weltbühne, 18. 6. 1929.
14 Zucker, Wolf: »Die Gedichte, Lieder
und Chansons des Walter Mehring«.
In: Die literarische Welt, 26. 7. 1929.
15 Oven, Jörn: »Mehring, Walter: Die Gedichte, Lieder und Chansons«.
In: Die schöne Literatur, Juli 1929.
16 Zarek, Otto: »Die Gedichte, Lieder und
Chansons des Walter Mehring«.
In: Die neue Rundschau, Nr. 9, 1929.
17 Diebold, Bernhard: »Nie kam die Straße derart aufs Theater«.
In: Frankfurter Zeitung, 11. 9. 1929.
18 Ossietzky, Carl von: »Die Kaufleute
von Berlin«.
In: Die Weltbühne, 17. 9. 1929.
19 Günther, Herbert: »Arche Noah SOS«.
In: Die Literatur, Juni 1930.
20 Terhaar, Jost: »Walter Mehring: Gedichte, Lieder und Chansons«.
In: Der Gral, August 1930.
21 Herrmann-Neiße, Max: »Arche Noah
SOS«.
In: Die literarische Welt, 8. 5. 1931.

22 Bab, Julius: »›Gebrauchslyrik‹. Mehring und Kästner«.
In: Die Hilfe, Nr.25, 1931.
23 Roth, Joseph: »Lieber Walter Mehring«.
In: Das Neue Tagebuch, Nr. 28, 1934.
24 Kesten, Hermann: »Poet im Exil«.
In: The Nation, 21. 10. 1944.
25 Jacob, Heinrich Eduard: »Mehring-Fei-
er im ›Aufbau‹. Der Dichter liest aus
eigenen Werken«.
In: Aufbau, 26. 4. 1946.
26 Schroers, Rolf: »Bänkelsang«.
In: Frankfurter Allgemeine Zeitung,
18. 8. 1951.
27 Haas, Willy: »Wo warst Du, Walter?«
In: Welt am Sonntag, 19. 8. 1951.
28 K.: »Grenzverhör«.
In: Die Gegenwart, 15. 9. 1951.
29 Sabais, Heinz-Winfried: »Anklage,
Heimweh, Liebe, Trostlosigkeit«.
In: Das literarische Deutschland,
5. 10. 1951.
30 Müller, Reimund: »›Dreyfusard‹ Walter
Mehring. Ein Brief des emigrierten
Schriftstellers – Sehnsucht nach
Deutschland«.
In: Das Freie Wort, 12. 1. 1952.
31 Mennemeier, Franz Norbert: »Zeitkritik – unzeitgemäß«.
In: Frankfurter Hefte, Heft 8, 1952.
32 Naumann, Hans: »Was aus den Bü-
chern vorauszusehen war«.
In: Frankfurter Allgemeine Zeitung,
22. 8. 1953.
33 Kesten, Hermann: »Walter Mehring«.
In: Kesten, Hermann: Meine Freunde
die Poeten, München/Wien 1953.
34 Lederer, Moritz: »Epateur der Zwanzi-
gerjahre«.
In: Deutsche Rundschau, April 1956.
35 Rostocker, Rolf: »Walter Mehring. Zu
seinem 60. Geburtstag«.
In: Deutsche Woche, 2. 5. 1956.
36 Dürrenmatt, Friedrich: »Über Walter
Mehring«.
In: Die Weltwoche, 18. 5. 1956.
37 Kesten, Hermann: »Portrait eines Poeten. Freundeswort an Walter Mehring«.
In: Neue Züricher Zeitung, 13. 10. 1956.
38 Pesel, Peter: »...Die Arme der
Götter.«
In: Deutsche Rundschau, Februar 1959.
39 Sellenthin, H. G.: »Walter Mehrings
Zeitpuls«.
In: Telegraf 5. 7. 1959.
40 Sellenthin, H. G.: »Die Chronik des
Ariers Müller. Walter Mehrings urko-
mischer Teutonenroman«.
In: Telegraf, 13. 11. 1960.
41 Zimmer, Dieter E: »Verrückte in einer
verrückten Welt. Ein wehmütiger Bericht ...«. In: Die Zeit, 25. 12. 1960.

74

42 Habe, Hans: »Meilensteine der Zeit. Walter Mehring 65«.
In: Donau-Kurier, 28. 4. 1961.

43 Grack, Günther: »Besuch aus dem Exil. Begegnungen mit Walter Mehring in Berlin«.
In: Der Tagesspiegel, 12. 10. 1961.

44 Recht, Klaus: »Die Walter-Mehring-Schau«.
In: Münchner Merkur, 13. 10. 1961.

45 Herchenröder, Gunnar R.: »Gespräch mit Walter Mehring«.
In: Westdt. Tageblatt, 25.10.1961.

46 H. B.: »Teutsche Chronik. Von der Promenadenmischung heutiger Menschen«.
In: Vorwärts, 29. 11. 1961.

47 Kramberg, K. H.: »Ein Habicht unter Tukanen. Walter Mehring liest aus seinen Werken«.
In: Süddeutsche Zeitung, 13. 12. 1961.

48 Planitz, Ulrich: »Mehrings Absage an Ulbricht. Ein Schriftsteller bleibt konsequent«.
In: Deutsche Zeitung, 18. 8. 1962.

49 Halperin, Josef: »Walter Mehring – poète maudit. Zu seinem Gedichtband ›Das Neue Ketzerbrevier‹«.
In: Die Weltwoche, 25. 1. 1963.

50 Sellenthin, H. G.: »Walter Mehrings ›Ketzerbrevier‹«.
In: Telegraf, 10. 2. 1963.

51 Haas, Willy: »Jede Zeile, jeder Vers glüht«.
In: Die Welt, 16. 2. 1963.

52 Sahl, Hans: »Reime in ungereimter Zeit. Walter Mehrings ›Neues Ketzerbrevier‹«.
In: Der Monat, Mai 1963.

53 Gersch, Hubert: »Das Neue Ketzerbrevier«.
In: Neue Deutsche Hefte, Mai/Juni 1963.

54 Budzinski, Klaus: »Vom Ruhm nicht geblendet. Ein Interview mit Walter Mehring zu seinem nächsten Buch«.
In: Abendzeitung, 7. 6. 1963.

55 Peterich, Eckart: »Reime über Ungereimtes«.
In: Süddeutsche Zeitung, 6./7. 7. 1963.

56 fr: »Mehring liest Mehring«.
In: Münchner Merkur, 5. 12. 1963.

57 Baltzer, Peter: »Die verlorene Bibliothek«.
In: Bücherkommentare, 1/1965.

58 Weyrauch, Wolfgang: »Die verlorene Bibliothek«.
In: Süddeutsche Zeitung, 13./14.3.1965.

59 AZ: »Mehring zieht Namen zurück«.
In: Abendzeitung, 14. 4. 1965.

60 Meller, Michael: »Die verlorene Bibliothek«.
In: Echo der Zeit, 28. 11. 1965.

61 Hoehl, Egbert: »Unsentimentale Erinnerungen.
In: Spandauer Volksblatt, 23. 12. 1965.

62 Wien, Werner: »Allgier in Algier«.
In: Der Tagesspiegel, 13. 3. 1966.

63 Anders, Achim: »Chansons für die Freiheit«.
In: Vorwärts, 27. 4. 1966.

64 Küsel, Herbert: ». . . nach de Müggelberje peesen. Dem Dichter Walter Mehring zum Lobe und zum siebzigsten Geburtstag«.
In: Frankfurter Allgemeine Zeitung, 28. 4. 1966.

65 Budzinski, Klaus: »Unkenrufe. Ein Literat mit Sentiment«.
In: Stuttgarter Zeitung, 28. 4. 1966.

66 Friedrich, Hans E.: »Unabhängigkeit ist seine Leidenschaft. Anmerkung zu Walter Mehrings literarischem Schaffen – Eine Gesamtausgabe der Gedichte wäre fällig«.
In: Die Welt, 28. 4. 1966.

67 Kesten, Hermann: »Walter Mehring 70«.
In: Rhein-Neckar Zeitung, 29. 4. 1966.

68 Haas, Willy: »Von der Vision besessen«.
In: Die Welt, 29. 4. 1966.

69 Kramberg, K. H.: »Walter Mehring 70«.
In: Süddeutsche Zeitung, 29. 4. 1966.

70 Hartmann, Horst: »Mann mit scharfer Zunge. Zum 70. Geburtstag von Walter Mehring am 29. April«.
In: Welt der Arbeit, 29. 4. 1966.

71 Kiaulehn, Walther: »Glückwunsch für Walter Mehring. Der Schriftsteller wird heute siebzig Jahre alt«.
In: Münchner Merkur, 29. 4. 1966.

72 W. G. O.: »Hut ab vor diesem Mann! Walter Mehring wurde am 29. April 70 Jahre alt«.
In: Berliner Stimme, 30. 4. 1966.

73 Kesten, Hermann: »Walter Mehring zum Siebzigsten«.
In: Frankfurter Rundschau, 30. 4. 1966.

74 Budzinski, Klaus: »Der Wert eines Dichters«.
In: 8 Uhr Blatt, 5. 5. 1966.

75 Pem: »Walter Mehring zum Siebzigsten«.
In: Allgemeine, Nr. XXI/4, 1966.

76 Rademacher, Gerhard: »Walter Mehring siebzig«.
In: Publikation, Nr. 5, 1966.

77 Johann, Ernst: »In bösen Zeiten. Eine Ermunterung, Mehring zu lesen«.
In: Frankfurter Allgemeine Zeitung, 5. 5. 1966.

78 G. R.: »Geheimnisse des Orients«.
In: Westdeutsche Allgemeine Zeitung, 27. 8. 1966

79 Voets, Stephan: »Sie alle ködern eure Seel'n!«
In: tatsachen, 14. 1. 1967.

80 S. W.: »Versehrt durch Geschichte. Walter Mehring las in der Akademie der Künste«. In: Der Tagesspiegel, 28. 2. 1967.
81 Oschilewski, Walter G.: »Ein großer Moralist unserer Zeit«. In: Volksbühnenspiegel, Mai 1967.
82 Wendevogel, N.: »Das verlorene Happening. Kein verlorener Abend mit Walter Mehring«. In: Der Tagesspiegel, 26. 11. 1967.
83 Rarisch, Klaus M.: »Gott zum Discountpreis. Interview mit Walter Mehring«. In: total, Nr. 16, 1968.
84 Greuner, Ruth: »Walter Mehring – Provokation durch Satire – Gegenspieler. Profile Linksliberaler, bürgerlicher Publizisten von Kaiserreich und Weimarer Republik. Berlin: Buchverlag Der Morgen, 1969.
85 Rühle, Günther: »Noch einen Kaffee für Herrn Mehring! Eine Begegnung in Zürich«. In:Frankfurter Allgemeine Zeitung, 22. 4. 1971.
86 Jäger, Manfred: »Ritual für Walter Mehring«. In: Deutsches Allgemeines Sonntagsblatt, 25. 4. 1971.
87 Haas, Willy: »Ein Vetter von Verlaine«. In: Die Welt, 28. 4. 1971.
88 Ohff, Heinz: »Der Aussichtslose. Walter Mehring 75 Jahre«. In: Der Tagesspiegel, 29. 4. 1971.
89 Burger, Eric: »Witterung für Unheil. Geburtstagsgruß an Walter Mehring«. In: Stuttgarter Zeitung, 30. 4. 1971.
90 Gillen, Eckart Johannes: »Nur Euch zum Trotz. Zum 75. Geburtstag des Vaganten Walter Mehring«. In: Frankfurter Rundschau, 30. 4. 1971.
91 Hartmann, Horst: »Zwanziger Jahre und Emigration«. In: Die Tat, 1. 5. 1971.
92 March, Joachim: »Bekenntnis eines Weitsichtigen. Gespräch mit Walter Mehring im SFB-Schulfunk«. In: Jüdische Wochenzeitung, 14.5.1971.
93 Oschilewski, Walter G.: »Ein großer Moralist unserer Zeit«. In: Volksbühnenspiegel, 6. 6. 1971.
94 Bock, Hans Bertram: »Ein Leben lang Emigrant. Eine Begegnung mit dem Literaten Walter Mehring in Zürich«. In: tribüne, 1971.
95 Drews, Jörg: »Walter Mehring 75«. In: Publikation, Mai 1971.
96 PWW: »Walter Mehring: Müller«. In: Baseler Nachrichten, 17. 11. 1971.
97 Besser, Joachim: »Die bitterböse Geschichte vom Müller. Satirische Chronik einer Sippe«.

98 Wa: »Walter Mehrings ›Müller‹«. In: Kölner Stadtanzeiger, 22. 1. 1972. In: Die Tat, 8. 4. 1972.
99 Karsch, Walther: »Walter Mehring von zwei Seiten«. In: Der Tagesspiegel, 30. 4. 1972.
100 Hellwig, Werner: »Walter Mehrings verlorene Bibliothek« In: Rheinische Post, 13. 5. 1972.
101 Schumann, Jochem: »Walter Mehring«. In: Westdeutsche Allgemeine Zeitung, 10. 6. 1972.
102 Heller, Helga: »Ein deutscher Stammbaum. Bericht über die Entdeckung eines Autors«. In: Deutsche Zeitung/Christ und Welt, 16. 6. 1972.
103 Bender, Hans: »Eine deutsche Müller-Chronik«. In: Die Weltwoche, 9. 8. 1972.
104 Fabian, Walter: »Die 2000jährige Geschichte der Müller-Sippe. Zur Neuausgabe eines Prosabandes von Walter Mehring«. In: Tages-Anzeiger, 3. 3. 1973.
105 Kayser, Beate: »Alarm mit 77. Walter Mehring schreibt aktuelle Kapitel für sein Ketzerbrevier«. In: Münchner Merkur, 18. 4. 1973.
106 Saur, Karl-Otto: »Vom Schicksal zum Weltbürger gemacht«. In: Süddeutsche Zeitung, 21./23.4.1973.
107 Bauer, W. Alexander: »Tut aus dem Buche einen Trunk. Emigration als Schicksal – Begegnung mit Walter Mehring«. In: Israel Forum, August 1973.
108 A. S.: »Matinee mit Walter Mehring«. In: Die Tat, 3. 5. 1973.
109 Mahr, Gerhard: »Mehrings Mahnung. Ketzerbrevier oder: Modernes von gestern. In: Deutsches Allgemeines Sonntagsblatt, 17. 3. 1974
110 Seeliger, Rolf: »›Gehacktes Bärtchen trommelt Angriff‹. Walter Mehrings lyrisches Testament. Gespräch mit dem Autor«. In: Der Literat, März 1974.
111 Tank, Kurt Lothar: »Freche Verse, nicht nur für Ketzer«. In: Welt am Sonntag, 7. 4. 1974.
112 Ringger, Rolf Urs: »Der Autor war sich zeitlebens selber Thema genug. Zum Sammelband ›Großes Ketzerbrevier‹ von Walter Mehring«. In: Tages-Anzeiger, 27. 4. 1974.
113 Wallmann, Jürgen P.: »Chronist – nicht Vormund. Zu Walter Mehrings lyrischer Autobiographie«. In: Die Tat, 27. 4. 1974.
114 Sinhuber, Bartel F.: »Mehrings Ketzereien«.

In: Abendzeitung, 3. 5. 1974.
115 Bleisch, Ernst Günther: »Walter Mehring ketzert noch. Werkraumabend mit dem Schriftsteller«.
In: Münchner Merkur, 11. 5. 1974.
116 Kramberg, K. H.: »Lieber ein Stein als ein Mitmensch. Walter Mehring – ein Lebenswerk in Versen«.
In: Süddeutsche Zeitung, 11. 5. 1974.
117 Krolow, Karl: »Walter Mehrings Schicksalslieder«.
In: Der Tagesspiegel, 4. 8. 1974.
118 Bruell: »Warum Kaffeehäuser verschwinden«.
In: Die Tat, 19. 10. 1974.
119 Jungheinrich, H. K.: »... alles untern Besen? Walter-Mehring-Collage der Katakombe«.
In: Frankfurter Rundschau, 3. 2. 1975.
120 Rühle, Günther: »Später Salut. Programm für Walter Mehring«.
In: Frankfurter Allgemeine Zeitung, 3. 2. 1975.
121 Colberg, Klaus: »Der Dichter von Berlin. ›Walter Mehrings Golden Twenties‹ in der Frankfurter Katakombe«.
In: Der Tagesspiegel, 14. 2. 1975.
122 Mosbach, Nils: »›Gut schreiben – nichts weiter‹. Der wiederentdeckte Walter Mehring«.
In: Lübecker Nachrichten, 20. 4. 1975.
123 Dencker, Klaus Peter: »Staatenlos im Nirgendwo – Walter Mehring«.
In: Akzente, Juni 1975.
124 Mytze, Andreas W.: »Walter Mehring – Ein Leben am Rande der Zeit. Gespräch mit dem Lyriker in der Emigration. Zum achtzigsten Geburtstag«.
In: Nürnberger Nachrichten, 24.4.1976.
125 Sd: »Seßhaft am Rand der Zeit. Walter Mehring wird am 29. April 80 Jahre alt«.
In: Frankfurter Neue Presse, 27.4.1976.
126 Uslar, Thilo v.: »Ein Dichter, den der Ruhm nicht verwirrte. Zum 80. Geburtstag des heute vergessenen Walter Mehring«.
In: Lübecker Nachrichten, 29. 4. 1976.
127 Bergmann, Peter: »Der letzte der Dadaisten.Walter Mehring, der Bänkelsänger von Berlin, wird 80 Jahre alt«.
In: Osnabrücker Zeitung, 30. 4. 1976.
128 Jacobs, Will: »Bitteres Emigrantenschicksal. Zum 80. Geburtstag des Autors und Kabarettisten Walter Mehring«.
In: Trierer Volksfreund, 4. 5. 1976.
129 g. r.: »Flugblatt für Walter Mehring. Gruß für einen Achtzigjährigen, der es gelernt hat, daß immer etwas dazwischen kommt. (Zum 29. 4.)«.
In: Frankfurter Allgemeine Zeitung, 4. 5. 1976.
130 Wehrli, Peter K.: »Glossolalie: A und O aller Poesie. Ein Gespräch mit Walter Mehring«.
In: Süddeutsche Zeitung, 6. 5. 1976.
131 Jaserich, Hellmut: »Mehr als ein Polit-Lyriker. Walter Mehring zum 80. Geburtstag«.
In: Die Welt, 8. 5. 1976.
132 Li: »›Neuer Dichter einer neuen Zeit‹. Das literarische Podium feierte den achtzigsten Geburtstag von Walter Mehring«.
In: Die Tat, 14. 5. 1976.
133 Lubowski, Bernd: »Walter Mehring – fast vergessen von der Zeit. Berliner Ehrenabend zum 80. Geburtstag«.
In: Berliner Morgenpost, 26. 5. 1976.
134 Serke, Jürgen: »Ein Dichter im Hotel«.
In: Der Stern, 26. 5. 1976.
135 E. G. L.: »Vom Dadaisten zum Professor h.c.«.
In: Aufbau, 10. 9. 1976.
136 N. N.: »Professorentitel für Joachim Günther und Walter Mehring«.
In: Die Tat, 10. 12. 1976.
137 N. N. : »Professor Walter Mehring«.
In: Die Zeit, 17. 12. 1976.
138 N. N.: »Ein Dichter gibt Auskunft. Portrait des 81jährigen Schriftstellers Walter Mehring«.
In: Süddeutsche Zeitung, 20. 5. 1977.
139 Puttnies, Hans Georg: »Einbürgerung eines alten Dichters. Fernsehportrait Walter Mehrings«.
In: Frankfurter Allgemeine Zeitung, 23. 5. 1977.
140 Sinhuber, Bartel F.: »Walter Mehring: ›Hoppla, wir leben‹«.
In: Buchreport, 27. 5. 1977.
141 Rühle, Günther: »Verdienst«.
In: Frankfurter Allgemeine, 7. 7. 1977.
142 Lubowski, Bernd: »In seinen Gedichten formulierte er einst die tödliche Wahrheit – heute lebt Walter Mehring am Rande der Zeit«.
In: Berliner Morgenpost, 24. 7. 1977.
143 Kotschenreuther, Hellmut: »Der Dichter als Kassandra.Walter Mehrings ›Lumpenbrevier‹ in der Tribüne«.
In: Der Tagesspiegel, 2. 9. 1977.
144 N. N.: »Walter Mehring Menschenhaut«.
In: Die Zeit, 9. 9. 1977.
145 H. F.: »Begeisterung für Mehring-Verse«.
In: Allgemeine jüdische Wochenzeitung, 30. 9. 1977
146 Vielhaber, Gerd: »Unvergeßliche Texte. Mehring, Brasch und Beckett in Berlin«.
In: Rheinische Post, 26. 10. 1977.
147 Isani, Claudio: »Satire des Lebens. Gegen den Strich: Walter Mehring – ver-

Christoph Buchwald

gessen schon zu Lebzeiten?«
In: Der Abend, 30. 12. 1977.
148 B. K.: »Mein größter Fehler ist, daß ich
noch lebe. Walter Mehring, der große
Zeitsatiriker der 20er Jahre, sieht sich
heute in Berlin sein ›Lumpenbrevier‹
an«.
In: B. Z., 30. 12. 1977.
149 Lubowski, Bernd: »›Es hat sich nichts
verändert – die Menschheit wiederholt
sich immer‹. Walter Mehring auf
Berlin-Besuch«.
In: Berliner Morgenpost, 30. 12. 1977.
150 N. N.: »Walter Mehring – Berlins vergessener Poet kam heim«.
In: Bild-Zeitung, Berliner Ausgabe,
30. 12. 1977.
151 Isani, Claudio: »Ein verlorener Sohn?
Berlin schaut weg: Schwierigkeiten im
Umgang mit Walter Mehring«.
In: Der Abend, 31. 12. 1977.
152 Huwe, Gisela: »Die Texte lehrten La-
chen und Gruseln. Fast ein Interview
mit Walter Mehring – sein ›Lumpenbrevier‹ spielt jetzt die Tribüne«.
In: Die Welt, 31. 12. 1977.
153 Kuhnigk, Ingeborg: »Der Mensch
bleibt sich immer gleich«.
In: Spandauer Volksblatt, 3. 1. 1978.
154 N. N.: »Mehring-Gesamtwerk bei
Claassen«.
In: Börsenblatt des Deutschen Buch-
handels, 31. 1. 1978.
155 Luft, Friedrich: »Cislaweng der tief ins
Berlinische getauchten Lieder. Gute
Nachricht von Walter Mehring: Sein
Gesamtwerk erscheint bei Claassen –
Literarischer Ruhm ist nicht ver-
waltbar«.
In: Die Welt, 19. 1. 1978.
156 N. N.: »Mehrings Rückkehr nach
Berlin«.
In: Vorwärts, 2. 2. 1978.
157 Fretz, Freddy: »›Meine Feinde, die
such' ich mir aus‹. Ein Walter-Mehring-
Abend im Kammertheater Stok«.
In: Tages-Anzeiger Zürich, 4. 2. 1978.
158 Rühle, Günther: »Die Zeit ging mitten
durch ihn hindurch. Walter Mehrings
phantastische Prosa«.
In: Frankfurter Allgemeine, 25. 2. 1978.
159 Raddatz, Fritz J.: »Mörder zahlen die
Hälfte. Walter Mehring: ›Die verlorene
Bibliothek‹«.
In: Die Zeit, 6. 10. 1978.
160 Härtling, Peter: »Das lesende Ge-
dächtnis«.
In: Süddeutsche Zeitung, 18. 10. 1978.
161 N. N. : »Walter Mehring«.
In: Abendpost Chicago, 18. 10. 1978.
162 Huonker, Gustav: »Müller, Dichter,
Emigranten«.
In: Der öffentliche Dienst, 13. 10. 1978.

163 C. V.: »Chronik einer deutschen Sippe.
Walter Mehring wird neu verlegt«.
In: Die Tat, 20. 10. 1978.
164 Schuchmann, Manfred E.: »Der Untertan zu allen Zeiten. Neu aufgelegt: Walter Mehrings ›Müller-Chronik einer
deutschen Sippe‹«.
In: Darmstädter Echo, 21. 10. 1978.
165 Reinhardt, Stephan: »Wieder die ur-
deutsche Sippe. Die ersten Bände der
Walter-Mehring-Ausgabe liegen vor«.
In: Frankfurter Rundschau,
21. 10. 1978.
166 Hahnl, Hans Heinz: »Satiriker und Kul-
turkritiker«.
In: Arbeiter-Zeitung, 23. 10. 1978.
167 N.N.: »Zeitlose Satire. Chronik einer
deutschen Sippe.
In: Haller Kreisblatt, 24. 10. 1978.
168 tz: »Neufassung. Mehring erinnert
sich«.
In: Pardon 10/1978.
169 Schlodder, Holger: »Aphorismus und
Analyse. Walter Mehrings Autobiographie einer Kultur«.
In: Darmstädter Echo, 2. 11. 1978.
170 Mattenklott, Gert: »Der Bürgerschreck
im Bücherschrank. Die ersten zwei
Bände der Walter-Mehring-Werkausgabe«.
In: Deutsche Volkszeitung, 30. 11. 1978.
171 Roseneck, Orest: »Walter Mehring als
Satiriker wiederentdeckt. Zur neuen
Edition im Claassen-Verlag«.
In: Coburger Tagblatt, 16./17. 12. 1978.
172 Goetschel, Willi: »Spätes Denkmal«.
In: Jüdische Rundschau, 21. 12. 1978.
173 Barz, Paul: »Verlorener Mehring – wie-
dergewonnen?«
In: Westermanns Monatshefte, 12/1978.
174 Keckeis, Johann: »Walter Mehring wieder entdeckt«.
In: Zürichsee-Zeitung, 5. 1. 1979.
175 Wehrli, Peter K.: »Wider die Internationale der Spießer. Die verspätete Wie-
derentdeckung des Walter Mehring«.
In: Die Weltwoche, 28. 2. 1979.
176 Bitterli, Urs: »Zu einer Neuauflage von
Walter Mehrings Werken«.
In: Schweizer Monatshefte, Februar
1979.
177 Krolow, Karl: »Späte Wiederentdek-
kung Walter Mehrings. Zu Neuausga-
ben der ›Verlorenen Bibliothek‹ und
des ›Müller‹-Romans«.
In: General-Anzeiger Bonn, 15. 3. 1979.
178 N. N.: »Mehrings ›Müller‹ – verbrannt,
verboten, jetzt wieder lesbar«.
In: Westfälische Rundschau, 20.3.1979.
179 Bielefeld, Claus-Ulrich: »Walter Mehring in neuen Ausgaben«.
In: Der Tagesspiegel, 15. 4. 1979.
180 haj: »Zeugnisse aus der Mitternacht.

78

Walter Mehrings Exilfragmente ›Wir müssen weiter‹«.
In: Neue Züricher Zeitung, 25. 5. 1979.

181 Bielefeld, Claus-Ulrich: »Dokument eines Verlustes«.
In: Der Tagesspiegel, 10. 6. 1979.

182 vt: »Immer weiter – von Tag zu Tag«.
In: Reutlinger General-Anzeiger, 30.6.1979.

183 Goertz, Heinrich: »Berühmt durch die Chansons. Walter Mehring: Die ersten Bände einer Werkausgabe«.
In: Hannoversche Allgemeine, 14.7.1979.

184 f.r.: »Walter Mehring erinnert sich an die schlimmen Jahre des Exils«.
In: Westfalenpost, 19. 7. 1979.

185 Grack, Günther: »Skandalös – vor fünfzig Jahren. Walter Mehrings ›Der Kaufmann von Berlin‹ in der Tribüne«.
In: Der Tagesspiegel, 11. 9. 1979.

186 Nillins, Manfred: »Eine bittere Zeitsatire. Premiere in der ›Tribüne‹ mit ›Der Kaufmann von Berlin‹ von Walter Mehring«.
In: Die Wahrheit, 12. 9. 1979.

187 Piscator, Erwin: »Warum der Mißerfolg mit Mehrings Stück?«
In: Theater heute, Nr. 10/1979.

188 Rischbieter, Henning: »Ein Stadt-Zeit-Bild – zu Walter Mehrings ›Kaufmann von Berlin‹«.
In: Theater heute, Nr. 10/1979.

189 Frodl, Hermann: »Paris in Brand«.
In: Biblos, Heft 2, 1980.

190 Ki: »Paris in Brand«.
In: Der Nordschleswiger, 19. 4. 1980.

191 Reinhardt, Stephan: »Fragmente. Mehring im Exil«.
In: Frankfurter Rundschau, 22. 4. 1980.

192 J. A.: »Paris – Schauplatz eines Politthrillers. Band 5 der Mehring-Werkausgabe ist erschienen«.
In: Berner Zeitung, 26. 4. 1980.

193 Weinzierl, Ulrich: »Betrogene Betrüger. Walter Mehrings Roman ›Paris in Brand‹«.
In: Frankfurter Allgemeine Zeitung, 26. 4. 1980.

194 e. h.: »Mehring wieder zu lesen«.
In: Salzburger Nachrichten, 5. 7. 1980.

195 Fröhling, Thomas / Kraeling, Werner: »Der Letzte vom Stamme Dada«.
In: Plus, 23. 7. 1980.

196 N. N.: »Paris in Brand«.
In: Fuldaer Zeitung, 24. 7. 1980.

197 W. R.: »Paris in Brand«.
In: Coburger Tageblatt, 26./27. 7. 1980.

198 Harmsen, Henning: »Staatenlos im Nirgendwo. Zu Besuch bei Walter Mehring in Zürich«.
In: Der Tagesspiegel, 21. 8. 1980.

199 N. N.: »Die Romanernte«.

In: Arbeiter-Zeitung, 12. 9. 1980.

200 Walter, Hans-Albert: »Die Aufmachung ist alles. Satire auf die Sensationspresse«.
In: Die Zeit, 10. 10. 1980.

201 Bielefeld, Claus-Ulrich: »Journalismus als Hexerei«.
In: Der Tagesspiegel, 12. 10. 1980.

202 Cis: »Knüller der Woche«.
In: Der Abend, 22. 10. 1980.

203 EB: »Der sechste Band der Mehring-Werkausgabe«.
In: Kölnische Rundschau, 13. 11. 1980.

204 s.y.: »Unterhaltsame Kulturkritik. Wiedersehen mit einem Frühwerk Walter Mehrings«.
In: St. Galler Tagblatt, 21. 12. 1980.

205 Th. T.: »Walter Mehring: Paris in Brand«.
In: Der Bund, 27. 12. 1980.

206 ar: »Algier oder die 13 Oasenwunder/Westnordwestviertelwest«.
In: Der Theaterfreund, Dez. 1980/Jan. 1981.

207 mue: »Ein Meisterwerk der Satire. ›Paris in Brand‹ – satirische Philippika nicht nur gegen die ›große Hure Presse‹«.
In: Waiblinger Kreiszeitung, 8. 1. 1981.

208 Schattner, Gerd: »Die Stimme des besseren Deutschlands«.
In: Rheinpfalz, 12. 1. 1981.

209 Beutler, Maja: »Ein Wolf beißt sich die Zähne aus«.
In: TV-Radio-Zeitung, 23.–29. 1. 1981.

210 Hartl, Edwin: »Der ganze Walter Mehring«.
In: Die Presse, Wien, 14./15. 2. 1981.

211 Goertz, Heinrich: »Wirbel um die heilige Antoinette. Walter Mehrings Roman ›Paris in Brand‹«.
In: Hannoversche Allgemeine Zeitung, 14./15. 2. 1981.

212 Naumann, Uwe: »Zwei vom besten Jahrgang«.
In: Konkret, 3/81.

213 Walberg, Ernst J.: »Pardon wird nicht gegeben. Hommage à Walter Mehring«.
In: Extrablatt, Wien, 3/81.

214 Raddatz, Fritz J.: »Adresse: Hôtel Zur Erde. Skizze zu einem Portrait«.
In: Die Zeit, 24. 4. 1981.

215 Bader, Urs: »Walter Mehring: Eine Biographie des Jahrhunderts«.
In: Basler Zeitung, 25. 4. 1981.

216 Harmsen, Henning: »›Meine Seele ist voller Stempel‹. Zu Besuch bei dem ›Bänkelsänger von Berlin‹ in Zürich«.
In: Kieler Nachrichten, 28. 4. 1981.

217 Jahn, Gabriele: »Am Rand der Zeit. Texte von Walter Mehring«.
In: Düsseldorfer Nachrichten, 28.4.1981.

218 Sulzer, Alain Claude: »Dichter ver-
brannter und dann vergessener Literatur. Der Berliner Walter Mehring wird
morgen in Zürich 85 Jahre alt«.
In: Bremer Nachrichten, 28. 4. 1981.
219 H. G.: »Der Bänkelsänger von Berlin«.
In: Hannoversche Allgemeine Zeitung,
29. 4. 1981.
220 Hartmann, Horst: »Mit scharfer Zunge,
spitzer Feder. Der Schriftsteller Walter
Mehring wird am 29. April 85 Jahre«.
In: Mannheimer Morgen, 29. 4. 1981.
221 Hohenemser, Herbert: »Dichter aus der
Asche«.
In: Abendzeitung, 29. 4. 1981.
222 Engel, Peter: »In der Nacht des Tyrannen. In Zürich wird Walter Mehring
heute 85 Jahre alt«.
In: Rheinpfalz, 29. 4. 1981.
223 Terry, Thomas: »›. . . und singt ein Lied
am Rand der Zeit‹«.
In: Der Tagesspiegel, 29. 4. 1981.
224 Walberg, Ernst J.: »›Und Euch zum
Trotz . . .‹. Eine Neuentdeckung steht
noch aus. Werke bei Claassen neu aufgelegt«.
In: Börsenblatt des deutschen Buchhandels, 30. 4. 1981.
225 Wauschkuhn, Franz: »Lebende Tragik
der deutschen Literatur. Walter Mehring ist 85 Jahre alt«.
In: Hamburger Abendblatt, 30. 4. 1981
226 N. N. : »Walter Mehring: . . . Und Euch
zum Trotz«.
In: Der schweizerische Beobachter,
31. 5. 1981.
227 Rösler, Walter: »Topographie der Hölle. Sieben Kapitel über Walter Mehring«.
In: Sinn und Form, Heft 9/10, 1981.
228 Naumann, Uwe: »›Der beste Jahrgang
deutscher Reben . . .‹ Walter Mehrings
Lieder waren einst Schlager«.
In: Die Tat, 11. 9. 1981.
229 Goertz, Heinrich: »Ewiger Emigrant.
Zum Tode von Walter Mehring«.
In: Hannoversche Allgemeine,
5.10.1981.
230 Krättli, Anton: »Ein Zeitgenosse am
Rande. Walter Mehring gestorben«.
In: Neue Züricher Zeitung, 5. 10. 1981.
231 Helwig, Werner: »Der wissende Spötter. Zum Tode Walter Mehrings«.
In: Der Tagesspiegel, 6. 10. 1981.
232 Iden, Peter: »[Walter Mehring †]«.
In: Frankfurter Rundschau, 6. 10. 1981.
233 Skasa, Michael: »Draußen wie drinnen
im Exil. Zum Tode von Walter Mehring«.
In: Süddeutsche Zeitung, 6. 10. 1981.
234 Rühle, Günther: »Der Mann mit dem
Koffer. Zum Tode des literarischen
Ketzers Walter Mehring«.

In: Frankfurter Allgemeine Zeitung,
6. 10. 1981.
235 Tschechne, Wolfgang: »Der Bänkelsän-
ger von Berlin. Abschied von dem ex-
pressionistischen Schriftsteller Walter
Mehring«.
In: Lübecker Nachrichten, 6. 10. 1981.
236 Wallmann, Jürgen P.: »Ahnherr der
Protestsänger. Zum Tode von Walter
Mehring«.
In: Saarbrücker Zeitung, 6. 10. 1981.
237 Vogel, Jörg-Dieter: »Ein Ketzer und
Sprachartist. Walter Mehring ist tot. –
Er war Mitbegründer des politischen
Kabaretts«.
In: Kölner Stadtanzeiger, 6. 10. 1981.
238 Weigend, Friedrich: »Vertikal in Spott
und Trauer. Zum Tode von Walter
Mehring«.
In: Stuttgarter Zeitung, 6. 10. 1981.
239 Hoffmann, Paul Theodor: »Zuständig
überall und staatenlos im Nirgendwo.
Zum Tode des Dichters Walter Meh-
ring«.
In: Hamburger Abendblatt, 6. 10. 1981.
240 vino: »Immer außer Reih und Glied.
Walter Mehring ist gestorben«.
In: Stuttgarter Nachrichten, 6. 10. 1981.
241 Jaesrich, Hellmut: »Der Spötter vom
Café des Westens. Walter Mehring tot«.
In: Die Welt, 6. 10. 1981.
242 Seidenfaden, Ingrid: »Ketzer vom
Dienst. Der Dichter Walter Mehring ist
in Zürich gestorben«.
In: Abendzeitung, 6. 10. 1981.
243 Seeliger, Rolf: »Halb tot geschunden
vom teuren Vaterland. Walter Mehring
ist 85jährig in Zürich gestorben«.
In: tz, 6. 10. 1981.
244 Bleisch, Ernst Günther: »Ein Laster
von Profession und Passion. Der
Schriftsteller Walter Mehring starb im
Alter von 85 Jahren in Zürich«.
In: Münchner Merkur, 6. 10. 1081.
245 Scheller, Wolf: »Ketzer aus dem Reich
der Bohème. Zum Tode des Schriftstellers Walter Mehring«.
In: Allgemeine Zeitung, Mainz, 6. 10.
1981.
246 N. N.: »Lange Zeit vergessen. Walter
Mehring †«.
In: Handelsblatt, 6. 10. 1981.
247 Halstenberg, Armin: »Verfemt, verfolgt
und fast vergessen. Ein Autor zwischen
Exil und Sehnsucht nach Heimat: Zum
Tode von Walter Mehring«.
In: Frankfurter Neue Presse, 6. 10.
1981.
248 Wehrli, Peter K.: »Ketzer gegen bürgerliche Ruhe und Ordnung.
Zum Tode des Schriftstellers Walter
Mehring«.
In: Tages-Anzeiger Zürich, 6. 10. 1981.

249 Terry, Thomas: »Bohémien und kämpferischer Individualist. Zum Tode Walter Mehrings«. In: St. Galler Tageblatt, 6. 10. 1981.

250 Bondy, François: »Der Bänkelsänger«. In: Die Weltwoche, 7. 10. 1981.

251 Engel, Peter: »Ein hellsichtiger, schneidender Kritiker. Der Schriftsteller Walter Mehring ist im Alter von 85 Jahren gestorben«. In: Wilhelmshavener Zeitung, 7. 10. 1981.

252 Raddatz, Fritz J.: »Zum Tode von Walter Mehring«. In: Die Zeit, 9. 10. 1981.

253 Hartmann, Horst: »Zum Tode von Walter Mehring«. In: Berliner Stimme, 9. 10. 1981.

254 Buchwald, Christoph: »... rast mit Überschall eine Fortschrittsschnecke. Walter Mehring: ein großer deutscher Lyriker, nie aus der Emigration befreit«. In: Frankfurter Rundschau, 10. 10. 1981.

255 krt: »Eine Gedenkfeier für Walter Mehring«. In: Neue Züricher Zeitung, 10. 12. 1981.

256 Walberg, Ernst J.: »Einmal die Welt – und zurück. Zu zwei Novellen aus der Werkausgabe Walter Mehrings«. In: General-Anzeiger Bonn, 18. 11. 1981.

257 Buchwald, Christoph: »Singt mit, was Ihr gemeinsam haßt«. In: Westermanns Monatshefte, Januar 1982.

258 Vinke, Hermann: »›Was Krieg immer bedeutet: Morden, Morden, Morden!‹« In: Börsenblatt des Deutschen Buchhandels, 8. 1. 1982.

259 Hartl, Erwin: »Der frühe Analytiker«. In: Die Presse, Wien, 24. 2. 1982.

260 N. N.: »Chronik der Lustbarkeiten/ Staatenlos im Nirgendwo«. In: Der Schweizer Beobachter, 2/82.

261 Weigl: »Algier oder Die 13 Oasenwunder/Westnordwestviertelwest«. In: Buchprofile, 2/82.

262 Frodl, Hermann: »Chronik der Lustbarkeiten/Staatenlos im Nirgendwo«. In: Biblos, Heft 2, 1982.

263 Terry, Thomas: »Walter Mehrings gesammelte Gedichte. Satirischer Grimm des Widerstands, Sehnsucht nach der Heimat, Trauer um die Freunde«. In: St. Galler Tagblatt, 3. 3. 1982.

264 Müller, Henning: »Vom Himmel hoch in die meschuggene Stadt. Berliner Radikaldemokrat und ›linker Melancholiker‹«. In: Die Wahrheit, 20. 3. 1982.

265 Adamzig, Eberhard: »›Als Trinkgeld verworfen‹«. Walter Mehrings gesammelte Gedichte«. In: Die Horen, Nr. 125, Frühjahr 1982.

266 Buchwald, Christoph: »›Odysseus hat entweder heimzukommen oder umzukommen!‹ Notizen zur Rezeption Walter Mehrings nach 1950«. In: Die Horen, Nr. 125, Frühjahr 1982.

267 Schumann, Thomas B.: »Plädoyer für Walter Mehring«. In: Bayerische Staatszeitung, 18. 6. 1982.

268 N. N.: »Mehrings Gedichte, Lieder, Chansons«. In: Die Tat, 16. 7. 1982.

269 Hausemer, Georges: »Deutschland – ein Alptraum. Walter Mehring: Gedichte, Lieder und Chansons 1918–1974«. In: Letzeburger Journal, 29. 7. 1982.

Notizen

Eberhard Adamzig, geb. 1950, Publizist und Musiker, lebt in München; veröffentlichte Features im Funk und Musiken zu Liedern Walter Mehrings; Auftritte mit Mehring-Liedern und mit eigenen Songs.

Urs Bader, geb. 1953, Studium der Germanistik, Geschichte und Publizistik, freier Journalist in Zürich.

Christoph Buchwald, geb. 1951, Verlagslektor, lebt in München; veröffentlichte Features, Essays und Kritiken in Zeitschriften und im Funk. Herausgeber der Walter Mehring Werke und des claassen Jahrbuchs der Lyrik. Gastredaktion dieses Heftes.

Axel Eggebrecht, geb. 1899 in Leipzig. Besuch eines Gymnasiums in Bremen. Teilnahme am Ersten Weltkrieg 1917–18, schwere Verwundung. Studium der Germanistik und Philosophie. Tätigkeit in verschiedenen Berufen. Seit 1925 freier Schriftsteller, Mitarbeiter der »Literarischen Welt«, der »Weltbühne« und anderer linksbürgerlicher Blätter. In der NS-Zeit KZ-Haft, Berufsverbot, Arbeit als Drehbuchautor für Unterhaltungsfilme. Nach 1945 Mitbegründer des NWDR. Ab 1949 freier Schriftsteller. Hörspiele, Features, Kommentare vor allem für den Norddeutschen Rundfunk. Von 1963–71 Leiter des NDR-Nachwuchsstudios. Preise: Alexander-Zinn-Preis (1973); Carl-von-Ossietzky-Medaille (1979).

Murray G. Hall, geb. 1947 in Winnipeg, Manitoba, Kanada, B. A., M. A., Dr. phil. Studium der Germanistik, Romanistik und Anglistik in Kingston/Kanada, Freiburg i. Br. und Wien. Promovierte 1975 an der Universität Wien mit einer Dissertation über Robert Musil; Vorstandsmitglied der »Internationalen Robert-Musil-Gesellschaft«, Redakteur des »Musil-Forum«, seither freischaffender Germanist und freier Mitarbeiter des Kurzwellendienstes des Österreichischen Rundfunks, Wien. Zahlreiche Veröffentlichungen zur österreichischen Literatur; Buch über den Wiener Schriftsteller Hugo Bettauer (»Der Fall Bettauer«. Wien: Löcker Verlag, 1978), Herausgabe 1980 der Gesammelten Werke Bettauers (Hannibal-Verlag, Wien), Mitarbeit an der zweibändigen Ausgabe der Briefe Robert Musils (Rowohlt 1981); Aufsätze über Robert Musil, Hugo Bettauer, Karl Kraus, Stefan Zweig, Arthur Schnitzler, Franz Blei, Buchhandel und Verlagswesen der Zwischenkriegszeit in Österreich. Derzeit Lektor für neuere deutsche Literatur an der Universität Wien. Work in progress (Abschluß Mitte 1983): umfangreiche Geschichte der belletristischen Verlage in Österreich 1918–1938.

Uwe Naumann, geb. 1951 in Hamburg, studierte in Hamburg und Marburg Germanistik, Soziologie und Pädagogik; arbeitet als Lehrer, Verlagslektor und Publizist in Hamburg; Herausgeber des Jahrbuchs für antifaschistische Literatur und Kunst »SAMMLUNG« (Frankfurt 1978ff.); Autor u. a. von »Faschismus als Groteske. Heinrich Manns Roman ›Lidice‹« (Worms 1980); arbeitet an einer Untersuchung über antifaschistische Satiren 1933 bis 1945.

Elsbeth Wolffheim, geb. 1934, seit 1954 Studium der Germanistik und Slavistik. 1960 Promotion. Seit 1970 publizistisch tätig bei Rundfunk, Fernsehen und diversen Zeitschriften. Publikationen: »Das Bild der Frau in der sowjetischen Literatur«, 1979; Rowohlt-Monographie über Anton Čechov, 1982. Zahlreiche Aufsätze über deutsche Exilliteratur und über zeitgenössische russische Literatur.

1933–1983 HILFE FÜR SCHRIFTSTELLER IM EXIL

1983 wird ein Jahr der Erinnerung an 1933 werden, an den Beginn der Diktatur mit Bücherverbrennungen und der Vertreibung deutscher Schriftsteller. Es darf kein Jahr der Festreden werden. In unserem Land leben heute exilierte und asylsuchende Schriftsteller aus aller Welt, die wie die deutschen Autoren damals auf Hilfe angewiesen sind. Ihre Lage ist schwierig, denn die existierenden Hilfsfonds für Schriftsteller schließen Ausländer zumeist von ihren Leistungen aus. Der Schriftstellerverband mußte aus diesem Grund schon 1981 einen eigenen Hilfsfonds für Autoren im Exil einrichten, dessen Mittel inzwischen erschöpft sind. Wir rufen alle Veranstalter, Mitwirkenden und Besucher von Gedenkveranstaltungen auf, diesen Fonds durch Sammlungen und Spenden, Stiftung von Einsparungen und Honoraren zu unterstützen. Wir bitten die Verleger ehemals exilierter deutscher Autoren um einen Beitrag zu diesem Fonds und erinnern sie und ihre Kollegen an ihre Verpflichtung gegenüber dem Exil von heute.

Wir bitten die Presse um Verbreitung dieses Aufrufs und Hinweise auf den Exilfonds vor und während der Veranstaltungen zum Gedenken an 1933. Wir bitten, ihn in Programmheften, Ankündigungen, literarischen und Fachzeitschriften des Buchhandels und der Medien zu veröffentlichen.

Heinrich Böll Bernt Engelmann Günter Grass
Martin Gregor-Dellin Walter Jens

Das Konto des Fonds für steuerlich abzugsfähige Spenden lautet: Solidaritätsfonds für Autoren im Exil/Fördererkreis deutscher Schriftsteller, Berliner Bank Nr. 11 12 600 00 (BLZ 100 200 00). Dem Vergabekomitee gehören die Schriftsteller Ingeborg Drewitz, Ossip K. Flechtheim, Yaak Karsunke, Renke Korn, Hannes Schwenger, Klaus Stiller und Jürgen Theobaldy an.

Die Beck'sche Schwar

Frühjahr 1983

Gesellschaft/Umwelt/Alternativen

Frauen suchen ihre Geschichte
Herausgegeben von Karin Hausen
C.H.Beck

BSR 276: 279 S. DM 22,-

Versuche, der Zivilisation zu entkommen
Herausgegeben von Ina-Maria Greverus und Erika Haindl
C.H.Beck

BSR 275: 208 S. DM 22,-

Herrad Schenk
Frauen kommen ohne Waffen...
C.H.Beck

BSR 274: 212 S. DM 16,80

Gotthard M. Teutsch
Tierversuche und Tierschutz
C.H.Beck

BSR 272: 164 S. DM 16,80

Von Herrad Schenk liegt in 2. Auflage bereits vor:
Die feministische Herausforderung
150 Jahre Frauenbewegung in Deutschland. 2., durchgesehene Auflage. 1981. 246 S. DM 19,80 (BSR 213)

Im Herbst 1982 erschienen ferner:
Rolf Peter Sieferle
Der unterirdische Wald
Energiekrise und Industrielle Revolution. 1982. 284 S. DM 24,- (BSR 266)
Helmut Birkenfeld (Hrsg.)
Gastarbeiterkinder aus der Türkei
Zwischen Eingliederung und Rückkehr. 1982. 176 S. DM 19,80 (BSR 262)

Geschichte Länderkunden

Geschichte der Juden
Von der biblischen Zeit bis zur Gegenwart
Herausgegeben von Franz J. Bautz
C.H.Beck

BSR 268: 248 S. DM 22,-

Chiellino/Marchio/Rongoni
Italien
Band 2: Wirtschaft, Gesellschaft, Politik, Kultur
C.H.Beck

BSR 244: 255 S. DM 24,-
Band 1: Geschichte, Staat und Verwaltung. 1981. 266 S. DM 19,80 (BSR 243). Liegt bereits vor.
Weitere Länderkunden:
Frankreich. 2 Bände.
Band 1 erschienen (BSR 148)
Großbritannien. 2 Bände
(BSR 203/263)
Sowjetunion. 2 Bände
(BSR 245/246)
Japan. (BSR 198)
China. (BSR 239)
Nordamerika. 2 Bände
(BSR 174/179)

Musiker im Porträt

Gabriele und Walter Salmen
Musiker im Porträt
Das 18. Jahrhundert
C.H.Beck

BSR 252: Ca. 200 S. 83 A
Ca. DM 22,-

Von der auf fünf Bände angelegten Reihe ‹Musiker im Porträt› sind bisher erschienen:
Band 1
Walter Salmen
Von der Spätantike bis 1600
1982. 200 S. 87 Abb. DM 22,- (BSR 250)
Band 2
Walter Salmen
Das 17. Jahrhundert
1983. 184 S. 82 Abb. DM 22,-
Die Bände 4 und 5 erscheinen voraussichtlic im Herbst 1983 bzw. Frühjahr 1984:
Band 4
Gabriele Salmen
Das 19. Jahrhundert
Band 5
Gabriele Salmen
Das 20. Jahrhundert

Der neue Katalog ‹Beck'sche Schwarze Reihe› erscheint im März 1983.

:ihe + Autorenbücher

ɔße Denker

Große Denker

Walter Euchner
ɑrl Marx

C.H.Beck

. 505: 203 S. DM 16,80

Große Denker

Klaus Fischer
alileo Galilei

C.H.Beck

₹ 504: 239 S. DM 19,80

 her sind Bände
:hienen über:
ertus Magnus (BSR 501)
mund Freud (BSR 502)
lard Van Orman Quine
R 503)
ɔorbereitung sind Bände
:r Adorno, Bacon,
nus, Carnap, Dante,
gel, Hume, Jaspers, Kant,
ɔniz, Locke, Newton,
kham, Popper, Russell,
eler, Schelling, Sellars,
noza.

Wichtige Neubearbeitungen

Helmut Seiffert
Einführung in die Wissenschafts- theorie

Band 2
Phänomenologie
Hermeneutik
und historische
Methode
Dialektik

C.H.Beck

Band 1: Sprachanalyse,
Deduktion, Induktion in
Natur- und Sozialwissen-
schaften. 10., überarbeitete
und erweiterte Auflage.
278 S. DM 19,80 (BSR 60)

Band 2: Phänomenologie,
Hermeneutik und histo-
rische Methoden, Dialektik.
8., überarbeitete und
erweiterte Auflage.
368 S. DM 19,80 (BSR 61)

Hannelore Hamel (Hrsg.)
**Bundesrepublik
Deutschland – DDR.
Die Wirtschaftssysteme.**
4., überarbeitete und
erweiterte Auflage. 432 S.
DM 24,– (BSR 153)

Ernst Weisenfeld
**Frankreichs Geschichte
seit dem Krieg**
Von de Gaulle bis Mitter-
rand. 2., überarb. u. erg.
Aufl. 334 S. DM 24,–
(BSR 218)

**Politisches Lexikon
Lateinamerika**
Herausgegeben von Peter
Waldmann unter Mitarbeit
von Ulrich Zelinsky.
2., neubearbeitete Auflage.
432 S. DM 28,– (BSR 221)

Autorenbücher

Burckhard Dücker
Peter Härtling

Autorenbücher

AB 33: 128 S. DM 14,80

Wulf Köpke
Lion Feuchtwanger

Autorenbücher

AB 35: 184 S. DM 14,80

Autorenbücher sind bisher
erschienen über:
Alfred Andersch, Gottfried
Benn, Thomas Bernhard,
Heinrich Böll, Alfred
Döblin, Friedrich Dürren-
matt, Günter Eich, Hubert
Fichte, Günter Grass, Max
von der Grün, Peter
Handke, Stefan Heym,
Wolfgang Hildesheimer,
Rolf Hochhuth, Walter Jens,

Jay Rosellini
Volker Braun

Autorenbücher

AB 31: 200 S. DM 14,80

Hans Wagener
CARL ZUCKMAYER

Autorenbücher

AB 34: 190 S. DM 14,80

Erich Kästner, Alexander
Kluge, Franz Xaver Kroetz,
Siegfried Lenz, Heiner
Müller, Hans E. Nossack,
Peter Rühmkorf, Nelly
Sachs, Arno Schmidt, Anna
Seghers, Günter Wallraff,
Martin Walser, Peter Weiss,
Dieter Wellershoff, Gabriele
Wohmann, Christa Wolf

Jean Améry
Rendezvous
in Oudenaarde
Mit fünf Gravuren von
Rudolf Schoofs

Nachwort von Franz Joseph van der Grinten
12 Textseiten; 5 vom Autor signierte Originalgravuren in Leinenmappe.
Auflage: 100 arabisch numerierte Exemplare; 20 römisch numerierte Exemplare hors commerce.
Preis: 1700,– DM
ISBN 3–7681–9972–X

»Das Imaginative hat hier sowohl traumhaften wie literarischen Charakter: Erhärtet soll die *Realität* literarischer Figuren werden. Hans Castorp ist wirklicher als irgend ein Onkel; Niels Lyhne ist uns mehr Gefährte auf unseren Wegen als beliebige Bekannte; es *gibt* die Gestalten aus Hermann Bang, Proust, Flaubert ...« Mit diesem Satz, den Jean Améry der Skizze seiner nicht mehr ausgeführten Novelle vorangestellt hat, ist der Anspruch bestimmt, sind die Kategorien gegeben, die eine Interpretation dieses Textes aufeinander beziehen müßte.

Der Aufbruch des Protagonisten zum Rendezvous mit der verstorbenen Geliebten *Littera*, das Undeutlichwerden des Weges, die Verwandlung der Bewegung in Flucht, der Tod im zu spät erreichten Ziel: Améry's Entwurf läßt einen Raum entstehen, in dem das Problem der Imagination – die Phantasie bleiben, die Realität oder Kunst werden kann – und das des Traumhaften, Irrealen des Existierens selbst gedacht werden kann; einen Raum, der die Überlagerung dieser Sphären, die Kongruenz zwischen dem Realen und dem Möglichen vorstellbar macht.

Die Suite der fünf Gravuren des 1932 in Goch am Niederrhein geborenen und seit 19.. an der Stuttgarter Kunstakademie lehrenden Malers, Zeichners und Radierers Rudolf Schoofs ist aus der Bearbeitung, Verfremdung, der zeichnerischen Auseinandersetzu.. mit Photographien entstande.. die der Künstler von den Zellenwänden eines mittelalterlichen Gefangenenturms in .. Vaucluse angefertigt hat. Bezieht Schoofs, einer der wenigen international bekan.. ten deutschen Künstler, sein.. Schöpfungen auch nicht exp.. zit auf den mit ihnen zusammen präsentierten literarischen Entwurf, so ist doch ih.. »Grundbefindlichkeit der Amérys nicht fern« (aus dem Nachwort).

J.G. Cotta'sche Buchhandl..
Nachfolger GmbH
Postfach 809
7000 Stuttgart 1

DAS ARGUMENT

Argument-Vertrieb
Tegeler Str. 6
1000 Berlin 65

Entwürfe von Frauen
in der Literatur des 20. Jahrhunderts

Literatur im historischen Prozeß NF 5

Argument-Sonderband AS 92
16,80/f.Stud.13,80 DM (Abo: 13,80/11,80)

ENTWÜRFE VON FRAUEN

Die verborgene Frau

Sechs Beiträge zu einer feministischen
Literaturwissenschaft von
Inge Stephan und Sigrid Weigel
Literatur im historischen Prozeß 6

Argument-Sonderband AS 96
16,80/f.Stud.13,80 DM (Abo: 13,80/11,80)

DIE VERBORGENE FRAU

Nachkriegsliteratur

Unbewältigte Vergangenheit. Theater
in den Westzonen. Reportageliteratur.
Kabarett. Literaturpreise.
»Politisierung« oder »geistige Freiheit«?

Argument-Sonderband AS 83
DM 16,80/f.Stud. 13,80 (Abo: 13,80/11,80)

NACHKRIEGS-LITERATUR

edition text + kritik

Verlag edition text + kritik GmbH
Levelingstr. 6a, 8000 München 80

**Das 25. Heft der Reihe
über Karl Kraus ist erschienen:**

Kraus-Hefte
Herausgegeben von
Sigurd Paul Scheichl und
Christian Wagenknecht

Die Kraus-Hefte erscheinen
viermal im Jahr im Umfang
von etwa 16 Seiten. Der
Bezugspreis für den Jahrgang
beträgt im Abonnement
DM 26,– zuzüglich Versand-
kosten.

Die Kraus-Hefte versammeln
Entwürfe und Fragmente eines
fortlaufenden Kommentars
zum Werk von Karl Kraus.
Sie dienen zugleich als ein
Forum der Verständigung zwi-
schen den an diesem Werk
interessierten Lesern und
Forschern. Mitteilungen und
Erläuterungen, Anfragen und
Hinweise, Bibliographien und
Register sollen vor allem das
Hauptwerk „Die Fackel" er-
klären und erschließen helfen.
Im lockeren Rahmen jeweils
eines Themas enthalten die
Kraus-Hefte auch bisher un-
veröffentlichte oder unbekannt
gebliebene Schriften und
Briefe von Karl Kraus.

**Verlag
edition text + kritik GmbH
Levelingstraße 6a
8000 München 80**

Heft 1 / Januar 1977
1933–1936

Heft 2 / April 1977
„Kultur und Presse"

Heft 3 / Juli 1977
Wirkungen

Heft 4 / Oktober 1977
*„Die letzten Tage der Mensch-
heit"*

Heft 5 / Januar 1978
1892–1898

Heft 6/7 / April 1978
*„Die letzten Tage der Mensch-
heit" (2)*

Heft 8 / Oktober 1978
Zeitgenossen

Heft 9 / Januar 1979
Freunde und Mitarbeiter

Heft 10/11 / Juli 1979
Freunde und Mitarbeiter (2)

Heft 12 / Oktober 1979
*Karl Kraus und die Tschecho-
slowakei*

Heft 13 / Januar 1980
Fassungen

Heft 14 / April 1980
*„Warum die Fackel nicht
erscheint"*

Heft 15 / Juli 1980
Wirkungen (2)

Heft 16 / Oktober 1980
Vermischte Beiträge

Heft 17 / Januar 1981
Erläuternde Hinweise

Heft 18 / April 1981
*Sozialdemokratie und
Arbeiterschaft*

Heft 19 / Juli 1981
Freunde und Mitarbeiter (3)

Heft 20 / Oktober 1981
Bibliotheken und Archive

Heft 21 / Januar 1982
*„Innsbruck und Anderes"
(1920)*

Heft 22/23 / April/Juli 1982
*„Die letzten Tage der Mensch-
heit" (3)*

Heft 24 / Oktober 1982
*Das erste Jahrzehnt der
„Fackel"*

Gerhard W. Lampe

Ohne Subjektivität

Interpretationen zur Lyrik
Rolf Dieter Brinkmanns vor dem
Hintergrund der Studentenbewegung

Ca. 160 Seiten. Kart. ca. DM 32.–

Rolf Dieter Brinkmann ist einer der wichtigsten Vertreter der neuen deutschen Lyrik. Sein Anspruch auf Subjektivität wird freilich noch weithin als ‚Subjektivismus‘ und ‚neue Innerlichkeit‘ mißverstanden und als Ausdruck der ‚Tendenzwende‘ abqualifiziert. Daß solche Urteile revidiert werden müssen, zählt zu den Resultaten des hier erstmals unternommenen Versuchs, Brinkmanns Lyrik systematisch zu behandeln. Ein erster Teil befaßt sich mit dem erkenntnisleitenden Interesse der Studentenbewegung, die adäquater als ‚Emanzipationsbewegung‘ zu bezeichnen ist. Als ‚Neue Linke‘ entwickelte sie sich gegen die orthodoxe Marx-Exegese; sie konkretisierte Entfremdung als Selbstentfremdung; sie ist unter dem Stichwort der von H. Marcuse näher umschriebenen ‚neuen Sensibilität‘ zu begreifen. Die in einem zweiten Teil vorgenommenen Interpretationen lassen bestimmte Gemeinsamkeiten und Entsprechungen deutlich werden. Die frühe Lyrik Brinkmanns arbeitet an der Befreiung von den Metaphern der Lyrik der Moderne, und sie wird dadurch offen für gesellschaftliche Einsichten: die Zerstörung von Individualität und den Verlust von Subjektivität. Aus den Formen der hermetischen Lyrik herausgetreten, entdecken die gegen Ende der 60er Jahre entstandenen Gedichte Ausschnitte des als ‚zweite Natur‘ durchschaubaren Entfremdungsprozesses, u. a. am Beispiel der Massenkultur und des Warencharaktes des einzelnen. Die Gedichte der ersten Hälfte der 70er Jahre stoßen zu weiteren Dimensionen dieses zentralen Problems vor. Sie sind Kritik eines ‚Fortschritts‘, der seine Subjekte fortschreitend zu liquidieren droht.

Niemeyer

Rilke?

Kleine
Hommage
zum
1oo.
Geburtstag

edition text + kritik

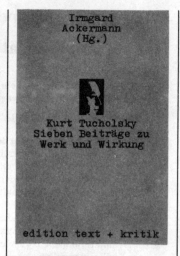

Irmgard
Ackermann
(Hg.)

Kurt Tucholsky
Sieben Beiträge zu
Werk und Wirkung

edition text + kritik

edition text + kritik

Verlag edition text + kritik GmbH

Levelingstr. 6a, 8000 München 80

Heinz Ludwig Arnold (Hg.)

**Rilke? Kleine Hommage
zum 100. Geburtstag**

135 Seiten, DM 14,50
ISBN 3-921402-15-8

Rainer Maria Rilke gehört zu
jenen großen Schriftstellern,
die im Verlaufe nostalgischer
Erinnerung gerade heute
wieder viele Leser finden. Mit
seinen Hauptwerken hat Rilke
entscheidenden Anteil an
einer modernen Artikulierung
des Lebensgefühls im
20. Jahrhundert. Dennoch
blieb er umstritten: als ein
Schriftsteller, der zwischen
Nüchternheit und Pathos die
ausgewogene Mitte nicht fand.
Gerade dies aber machte ihn
auch zu einem Schriftsteller,
der Generationen von Lyrikern
prägte, die erkannten, daß sie
sich an einer Auseinandersetzung mit Rilke nicht würden
vorbeidrücken können. Und
heute: Rilke?

»Rilke im Urteil seiner und
unserer Zeit – eine angemes-
senere und aufschlußreichere
Hommage zum Hundertsten
des Dichters läßt sich kaum
denken.« (Marbacher Zeitung)

Irmgard Ackermann (Hg.)

Kurt Tucholsky

Sieben Beiträge
zu Werk und Wirkung

207 Seiten, DM 24,––
ISBN 3-88377-079-5

45 Jahre nach Tucholskys Tod
besteht noch immer eine auf-
fällige Diskrepanz zwischen
der großen Breitenwirkung seines literarischen Werks und
der fast völlig fehlenden wis-
senschaftlichen Auseinandersetzung mit ihm: bei einer Verbreitung seiner Werke in über
5 Millionen Exemplaren ver-
wundert die geringe Zahl wis-
senschaftlicher Veröffentlichungen über diesen Autor.
Die hier versammelten Beiträge gehen von unterschied-
lichen Ansätzen aus. Gemeinsam ist ihnen jedoch das
Interesse, Tucholsky als politisch engagierten Schriftsteller
ernst zu nehmen und darin
seine Aktualität sichtbar zu
machen.
»Die Beiträge… schärfen
unseren Blick für Tucholsky
und tragen damit bei, ihn in
seiner Bedeutung, aber auch
Begrenzung einzustufen.«
(Neue Zürcher Zeitung)

edition text + kritik

Verlag edition text + kritik GmbH
Levelingstr. 6 a, 8000 München 80

Christoph Stölzl
Kafkas böses Böhmen
Zur Sozialgeschichte
eines Prager Juden

edition text + kritik

Christoph Stölzl
**Kafkas böses Böhmen
Zur Sozialgeschichte eines
Prager Juden**

148 Seiten, DM 16,50
ISBN 3-921402-05-0

Diese Arbeit versucht, Kafka
aus seiner Zeit heraus zu verstehen und zu interpretieren.
Die Frage nach seinem Juden-
tum ist Anlaß für eine konkrete historische Nachprüfung:
inwieweit hat die Hochblüte
des österreichisch-böhmi-
schen Antisemitismus Kafkas
Lebensrealität beeinflußt?
Wie spiegeln sich die Epoche
und die Umstände in Kafkas
Selbstzeugnissen?

Mit einer Fülle von dokumen-
tarischem Material entwirft
der Autor ein lebens- und zeit-
geschichtliches Panorama, in
dem Kafkas Leben und Werk
unter sozialgeschichtlichen
Aspekten in neuem Licht erscheinen.

Werner Kraft

Stefan George

edition
text + kritik

Werner Kraft
Stefan George

303 Seiten, DM 36,--
ISBN 3-88377-065-5

Werner Kraft, 1896 in Hannover
geboren, seit 1934 in Israel
lebend, hat in seiner Jugend
noch George als einen der
großen lebenden Dichter wahr-
genommen, seine Größe ge-
sehen, doch immer kritische
Distanz halten können. In
seinem neuen Buch setzt er
sich voller Achtung und voller
Bedenken mit dem Dichter aus-
einander, den die einen zum
»präfaschistischen Syndrom«
rechnen (und neben Heidegger
und Jünger stellen) und den
die anderen dennoch als einen
bedeutenden Lyriker gerettet
sehen möchten. Kraft geht ver-
stehend und deutend auf die
Gestalt Georges ein, stellt ihn
in seine Umgebung von Zeitgeschichte, Freunden und
Weggenossen, diskutiert
Georges Verhältnis zu seinen
Schülern – und sieht dennoch
das tief Bedenkliche dieser
autokratischen, zur Selbststi-
lisierung neigenden Gestalt, die
der Exponent des Versuchs
war, noch ein letztes Mal geistige Kultur in einer kleinen eli-tä-
ren Gruppe zu etablieren.

Musik-Konzepte
Die Reihe über Komponisten

Verlag edition text + kritik GmbH, Levelingstraße 6 a, 8000 München 80

Musik-Konzepte 25
Richard Wagner Parsifal

Herausgegeben von Heinz-Klaus Metzger und Rainer Riehn

edition text + kritik

Herausgegeben von
Heinz-Klaus Metzger und
Rainer Riehn

„Musik-Konzepte:
ein tolles Konzept!"
Joachim Kaiser in der NMZ

Dazu erschien eine LP mit
Josquins **Missa Da pacem**
und seinem **Miserere** mit der
Stuttgarter Schola cantorum
unter der Leitung von Clytus
Gottwald
DM 22,-- (empf. Preis)

Der verbilligte Abonnements-
preis beträgt für sechs
Nummern DM 66,-- jährlich.